Glencoe Spanish 1

¡Buen viaje!

Writing Activities Workbook

Teacher's Edition

Conrad J. Schmitt

Protase E. Woodford

Glencoe McGraw-Hill

New York, New York   Columbus, Ohio   Woodland Hills, California   Peoria, Illinois

Glencoe/McGraw-Hill

A Division of The **McGraw·Hill** *Companies*

Copyright ©2000 by Glencoe/McGraw-Hill. All rights reserved. Except as
permitted under the United States Copyright Act, no part of this publication
may be reproduced or distributed in any form or by any means, or stored
in a database or retrieval system, without the prior permission of the publisher.

Send all inquiries to:
Glencoe/McGraw-Hill
8787 Orion Place
Columbus, OH 43240

ISBN 0-02-641265-9 (Teacher's Edition, Writing Activities Workbook)
ISBN 0-02-641261-6 (Student Edition, Writing Activities Workbook)

Printed in the United States of America.

3 4 5 6 7 8 9 10   009   08 07 06 05 04 03 02 01 00

CONTENIDO

CAPÍTULO 1

Un amigo o una amiga

Vocabulario

A. Antonio Irizarry Here's a picture of Antonio Irizarry. Write a story about him. You may want to use some of the following words.

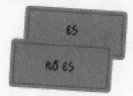
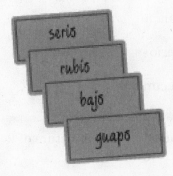

Answers will vary but may include the following: Antonio

Irizarry es de Bogotá, Colombia. Es guapo. Es rubio.

No es moreno. Él es alto. No es bajo. Es serio.

_____

B. Una mexicana Here's a picture of Guadalupe Cárdenas. She's from Puebla, México. Write as much about her as you can.

Answers will vary.

_____

_____

_____

_____

_____

_____

_____

C **Una definición**   Answer the following question to write a definition of the Spanish word **colegio.**

¿Qué es un colegio?

Answers will vary but may include the following: **Un colegio es una escuela secundaria.**

D **Lo contrario**   Match the opposites.

1. __d__ alto   **a.** moreno

2. __a__ rubio   **b.** primario

3. __c__ guapo   **c.** feo

4. __e__ serio   **d.** bajo

5. __b__ secundario   **e.** gracioso

E **Robert Walker**   Here's a picture of Robert Walker. Describe him.

Answers will vary.

_____

_____

_____

_____

_____

F **Carmen de Grávalos**   Here's a picture of Carmen de Grávalos. Describe her.

Answers will vary.

_____

_____

_____

_____

_____

Vocabulario

PALABRAS 2

G. **Yo** Write as much as you can about yourself.

Answers will vary. _____

_____

_____

H. **Una pregunta** Complete each question with the correct question word(s).

1. *El muchacho* es de Tejas.

¿ _____ **Quién** _____ es de Tejas?

2. *Manolo* es tejano.

¿ _____ **Quién** _____ es tejano?

3. Manolo es *de Houston*.

¿ _____ **De dónde** _____ es Manolo?

4. Manolo es *alto y moreno*.

¿ _____ **Cómo** _____ es Manolo?

5. Manolo es un amigo de *Guadalupe*.

¿ _____ **Quién** _____ es una amiga de Manolo?

I. **Juanita Torres** Here's a picture of Juanita Torres. She's from Bogotá, Colombia. Write four questions about her.

1. ____ _Answers will vary._ _____

2. _____

3. _____

4. _____

Don Quijote y Sancho Panza   Here's a picture of two famous characters in Spanish literature. Write as much as you can about each of them.

1. Don Quijote   *Answers will vary.* _____

_____

_____

_____

_____

2. Sancho Panza   *Answers will vary.* _____

_____

_____

_____

_____

Estructura

Artículos definidos e indefinidos

A **Oye, ¿quién es?** Complete the cartoon with **el** or **la.**

B **Un alumno y una alumna** Complete the sentences with **un** or **una.**

1. Alan es ___un___ alumno en ___una___ escuela secundaria en los Estados Unidos.

2. Alejandra es ___una___ alumna en ___un___ colegio en Olivos, ___un___ suburbio de Buenos Aires.

3. Alejandra es ___una___ persona muy sincera.

4. Y Alan es ___un___ muchacho muy honesto.

Adjetivos en el singular

C **¿Quién es?** Describe the boy.

Answers will vary.

_____

_____

_____

_____

D **¿Quién es?** Describe the girl.

Answers will vary.

_____

_____

_____

_____

Presente del verbo **ser** en el singular

E **Yo** Answer the following questions about yourself.

1. ¿Quién eres?

Answers will vary.

_____

2. ¿De dónde eres?

_____

3. ¿De qué nacionalidad eres?

_____

4. ¿Dónde eres alumno(a)?

_____

5. ¿Cómo eres? ¿Qué tipo de persona eres?

_____

6. ¿De quién eres amigo(a)?

_____

Nombre _____ Fecha _____

F   **Catalina**   This is Catalina. Tell her what you think about her.

Catalina, tú ___*Answers will vary.*_____

_____

_____

G   **Una tarjeta**   Read this postcard from Claudia de los Ríos.

¡¿Hola!
Yo soy Claudia de los Ríos.
Soy de La Paz, Bolivia. Soy
boliviana. Soy alumna
en una escuela privada
para muchachas. Soy
una alumna bastante
buena. Soy una persona
sincera, honesta y seria.
Sí, soy seria pero de
ninguna manera soy
aburrida. Soy bastante
graciosa.
          Con cariño,
          Claudia

H   **Claudia**   Write some things Claudia says about herself in her postcard.

   Answers will vary.

_____

_____

_____

I   **Otra tarjeta**   Now write a postcard to Claudia. Tell her all about yourself.

J **¿Quién eres?** A young man has just walked up to you on the street. He recognizes you, but you are not sure who he is. Complete the conversation you are having with this person.

MUCHACHO: Hola, ¿qué tal?

TÚ: Muy bien, gracias. ¿Y tú?

MUCHACHO: Muy bien, gracias. Tú _____**eres**_____ _**(answers will vary)**_ _(your name)._
                                                 1

TÚ: Sí, _____**soy**_____ _**(answers will vary)**_ _(your name)._
                    2

MUCHACHO: Tú _____**eres**_____ el/la amigo(a) de Gloria Sánchez, ¿no?
                         3

TÚ: Sí, yo _____**soy**_____ un(a) amigo(a) de Gloria Sánchez. Pero, perdón.
                       4

        ¿Quién _____**eres**_____ tú?
                        5

MUCHACHO: Yo _____**soy**_____ Tomás. Tomás Smith.
                        6

TÚ: Ay, sí. Tú _____**eres**_____ de Miami, ¿no?
                           7

MUCHACHO: Sí, yo _____**soy**_____ de Miami. Tú _____**eres**_____ de Ponce, ¿no?
                           8   9

TÚ: Si, yo _____**soy**_____ de Ponce y yo _____**soy**_____ amigo(a)
                      10   11

        de Gloria también. Ella _____**es**_____ muy simpática, ¿no?
                                        12

MUCHACHO: Sí, _____**es**_____ una amiga muy sincera _____**es**_____
                      13   14

        muy graciosa también.

Un poco más

A. **Más información**   Every chapter in your workbook will include readings. These readings will have some unfamiliar words in them. However, you should be able to understand them easily, since many of them are cognates—words that look alike and have similar meanings in English and Spanish. In addition, you can guess the meanings of other words because of the context of the sentence. See whether you can understand the following reading.

> Simón Bolívar es un héroe famoso de Latinoamérica. Es de una familia noble y rica. No es de la ciudad. Simón Bolívar es de una región rural. Es del campo.
>
> En la época de Simón Bolívar, Venezuela es una colonia de España. No es un país independiente. La mayoría de Latinoamérica es una colonia española. Las ideas de Simón Bolívar son muy liberales. Para él, Venezuela no debe[1] ser una colonia. Venezuela debe ser un país independiente.

[1]debe *should*

B. **En inglés**   Give the English word related to each of the following Spanish words. As you already know, these related words are called "cognates."

1. héroe   **hero** _____

2. famoso   **famous** _____

3. noble   **noble** _____

4. región rural   **rural region** _____

5. colonia   **colony** _____

6. independiente   **independent** _____

Mi autobiografía

Begin to write your autobiography in Spanish. You will have fun adding to it as you continue with your study of Spanish. To begin, tell who you are and where you are from. Indicate your nationality and tell where you are a student. Also, give a brief description of yourself. What do you look like? How would you describe your personality?

Mi autobiografía

CAPÍTULO 2

Alumnos y cursos

Vocabulario

A **La clase** Answer the following questions based on the illustration.

Señor García

1. ¿Hay muchos alumnos en la clase?

   No, no hay muchos alumnos en la clase.

2. ¿Es una clase grande o pequeña?

   Es una clase pequeña.

3. ¿Es una clase interesante o aburrida?

   Es una clase interesante.

4. ¿Quién es el profesor?

   El profesor es el señor García.

Nombre _____ Fecha _____

B **La clase** Write a short paragraph describing the class in the illustration.

_____Answers will vary._____

_____

_____

_____

_____

_____

C **Una pregunta** Choose the correct question word.

1. Ella es Maricarmen.

Perdón, ¿ __c__ es ella?

a. cómo

b. de dónde

c. quién

2. Maricarmen es chilena.

Perdon, ¿ __c__ es ella?

a. cómo

b. quién

c. qué

3. Ella es de Santiago.

Perdon, ¿ __c__ es ella?

a. quién

b. cómo

c. de dónde

4. Ella es alumna.

Perdón, ¿ __b__ es ella?

a. cómo

b. qué

c. quién

5. Ella es alumna en el Colegio San José.

Perdón, ¿ __b__ es alumna?

a. cómo

b. dónde

c. qué

6. Maricarmen y Teresa son buenas amigas.

Perdón, ¿ __b__ son amigas?

a. qué

b. quiénes

c. cómo

Vocabulario

D. **¿Qué son?** Complete each sentence with an appropriate word.

1. La biología, la química y la física son _____**ciencias**_____.

2. El inglés, el español, el chino y el ruso son _____**lenguas**_____.

3. El latín es una _____**lengua**_____ antigua.

4. El francés y el español son _____**lenguas**_____ modernas.

5. La _____**historia**_____, la geografía y la sociología son ciencias sociales.

6. La zoología y la botánica son partes de la _____**biología**_____.

7. El fútbol, el voleibol y el básquetbol son partes de la _____**educación física**_____.

8. El álgebra, la geometría y el cálculo son partes de las _____**matemáticas**_____.

E. **Alumnos, profesores y cursos** Indicate whether each statement is true or false. Write **sí** or **no.**

1. __**sí**__ Los alumnos serios son estudiosos.

2. __**no**__ Los alumnos buenos no son estudiosos.

3. __**no**__ Los profesores interesantes son aburridos.

4. __**no**__ Los profesores aburridos son buenos.

5. __**sí**__ Los profesores simpáticos son populares con los alumnos.

6. __**sí**__ Los cursos interesantes son populares con los alumnos.

F. **Los cursos** Write the names of all the courses you are taking this year.

___*Answers will vary.*___

_____

G. **¿Cómo son los cursos?** Rate your courses using the following words.

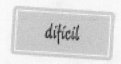   

___*Answers will vary.*___

_____

Estructura

Sustantivos, artículos y adjetivos en el plural

A. **Julia y Alejandra** Look at the illustration of Julia and Alejandra. They are from Bogotá, Colombia. Write four sentences about them.

1. _____*Answers will vary.*_____

2. _____

3. _____

4. _____

B. **Armando y Héctor** Armando and Héctor are from Bogotá, too. Write four sentences about them.

1. _____*Answers will vary.*_____

2. _____

3. _____

4. _____

Presente de ser en el plural

C. **El plural, por favor.** Rewrite each sentence in the plural.

1. El muchacho es inteligente y serio.

   Los muchachos son inteligentes y serios.

2. La muchacha es inteligente y graciosa.

   Las muchachas son inteligentes y graciosas.

3. El muchacho es el amigo de Teresa.

   Los muchachos son los amigos de Teresa.

4. El profesor inteligente es interesante.

   Los profesores inteligentes son interesantes.

5. El curso es interesante pero es difícil.

   Los cursos son interesantes pero son difíciles.

Nombre _____ Fecha _____

D **Una carta** Complete the following letter in which you talk about yourself and your friend Fernando.

Fernando y yo ___somos___ amigos.

Nosotros ___somos___ americanos.

___Somos___ alumnos en una escuela

secundaria. ___Somos___ alumnos en

la Escuela Martin Luther King.

E **El hermano de Ana Sofía** Complete the conversation with the correct form of **ser.**

Hola, Isabel. ¿Quién ___es___ el muchacho?

___Es___ Justo. Él ___es___ el amigo de Ana Sofía.

Ah, ¿él y Ana Sofía ___son___ amigos?

Sí, y ___son___ alumnos en la Escuela Internacional.

Tú también ___eres___ alumna en la Escuela Internacional, ¿no?

Sí, nosotros tres ___somos___ alumnos en la misma escuela.

¿ ___Son___ Uds. amigos?

Sí, ___somos___ muy buenos amigos.

La hora

F **¿Qué hora es?** Write a sentence telling the time on each clock.

1.   **Son las tres de la tarde.**

2.   **Es la una y diez de la mañana.**

3.   **Son las cuatro y cinco de la tarde.**

4.   **Es el mediodía.**

5.   **Son las ocho y treinta de la mañana.**

6.   **Son las seis menos diez de la mañana.**

7.   **Son las once y quince de la noche.**

8.   **Son las tres menos veinte de la mañana.**

Un poco más

A Civilizaciones indígenas Read the following. Try to guess the words you do not know.

En muchas partes de Latinoamérica hay influencias importantes de
los indios de las poblaciones indígenas. Antes de la llegada[1] de
Cristóbal Colón a las Américas, los habitantes de la América del Norte,
de la América Central y de la América del Sur son los indios.

Hoy hay descendientes de los famosos aztecas y mayas en México,
Guatemala y otras partes de la América Central.

En países[2] como el Ecuador, el Perú y Bolivia hay muchos
descendientes de los incas. Y más al sur en Chile hay descendientes de
los araucanos. Pero hay muy pocos. No quedan[3] muchos
descendientes de los araucanos.

[1]llegada *arrival*
[2]países *countries*
[3]quedan *remain*

B Grupos indígenas Make a list of Indian or indigenous groups mentioned in the preceding story.

aztecas, mayas, incas, araucanos

C Países Make a list of the countries mentioned in the story.

México, Guatemala, Ecuador, Perú, Bolivia, Chile

D ¿Descendientes de quiénes? Indicate the indigenous group that lives in each country.

México: aztecas/mayas; Guatemala: aztecas/mayas; Ecuador: incas; Perú: incas;

Bolivia: incas; Chile: araucanos

Mi autobiografía

Continue with your autobiography. Write a list of the courses you are taking now. Tell who the teacher of each class is. Describe each course. Tell which ones are interesting, boring, easy, or difficult. Then tell something about your school friends. What are they like?

Mi autobiografía

CAPÍTULO 3

Las compras para la escuela

Vocabulario   PALABRAS 1

A **Materiales escolares** Write in Spanish a list of things you'll need in order to do each of the following activities.

1. You are going to write a composition for your English class.

     Answers will vary. _____

_____

2. You are going to do your algebra homework.

_____

_____

3. You are going to take some notes in your history class.

_____

_____

B **Tomás necesita mucho.** Make up a sentence using each of the following words.

1. necesita   *Answers will vary.* _____

2. busca _____

3. mira _____

4. habla _____

5. compra _____

6. paga _____

C **En la papelería** Answer the following questions according to the illustration.

1. ¿Dónde está Juan Carlos?

   Juan Carlos está en la papelería.

2. ¿Qué mira en la papelería?

   Mira las carpetas (los materiales escolares).

3. ¿Qué compra?

   Compra una carpeta.

4. ¿Con quién habla?

   Habla con la dependienta.

5. ¿Cuánto es la carpeta?

   Un peso.

6. ¿Dónde paga Juan Carlos?

   Juan Carlos paga en la caja.

7. ¿En qué lleva Juan Carlos los materiales escolares?

   Juan Carlos lleva los materiales escolares en una mochila.

Vocabulario

D. **La ropa** Answer the questions according to the illustrations.

1. ¿Qué lleva el muchacho?

*Answers will vary.* _____

_____

2. ¿Qué lleva la muchacha?

*Answers will vary.* _____

_____

E. **A casa de una amiga** Write what Alejandra is putting in her backpack.

1. ___un par de tenis___

2. ___un blue jean___

3. ___un T-shirt___

4. ___una gorra___

5. ___unos calcetines___

6. ___un bolígrafo___

7. ___un cuaderno
(un bloc)___

8. ___una carpeta___

F. **Conversaciones** Complete the following short conversations.

1. En la tienda de ropa

—Sí, señor. ¿Qué _____ **desea** _____ Ud.?

—Una camisa, por _____ **favor** _____.

—¿De qué _____ **color** _____?

—Blanca, por favor.

—Sí, señor. No hay problema. ¿Qué _____ **talla (tamaño)** _____ usa Ud.?

—Treinta y ocho.

2. En la tienda de zapatos

—Sí, señorita. ¿Qué _____ **desea** _____ Ud.?

—Un _____ **par** _____ de tenis, por favor.

—Sí, señorita. ¿De qué _____ **color** _____?

—Blanco y azul, por favor.

—¿Y qué _____ **número** _____ usa Ud.?

—Treinta y seis.

3. En la caja

—¿Cuánto _____ **cuesta** _____ la camisa?

—Quinientos pesos.

—¡Quinientos pesos! _____ **Es** _____ mucho, ¿no?

—Sí, es bastante cara.

G. **Colores favoritos** Give your favorite color or colors for the following items of clothing.

1. los tenis ___ *Answers will vary.* _____

2. una camisa _____

3. una camiseta _____

4. los zapatos _____

5. una gorra _____

Estructura

Presente de los verbos en –ar en el singular

A   **Preguntas personales**   Answer each of the following questions.

1. ¿Qué necesitas para la apertura de clases?

   Answers will vary.
   _____

2. ¿Qué compras en la papelería?

   _____

3. ¿Qué llevas a la escuela?

   _____

4. ¿Dónde compras la ropa?

   _____

5. ¿Con quién hablas en la tienda de ropa?

   _____

6. Si compras una camiseta, ¿qué talla usas?

   _____

7. Si compras un par de zapatos, ¿qué número usas?

   _____

8. En la tienda, ¿dónde pagas?

   _____

9. ¿Cuesta mucho o poco la ropa?

   _____

10. ¿Es cara o barata la ropa?

    _____

B **Conversaciones** Complete the following conversations with the verbs in parentheses.

1. —¿Qué _____**desea**_____ Ud., señorita? (desear)

—Yo _____**necesito**_____ un par de zapatos. (necesitar)

—¿Qué número _____**usa**_____ Ud.? (usar)

—Treinta y ocho.

La señora _____**mira**_____ un par de zapatos. Ella _____**compra**_____

los zapatos y _____**paga**_____ en la caja. (mirar, comprar, pagar)

2. —Hola, Paco. ¿Qué _____**necesitas**_____ hoy? (necesitar)

—Pues, _____**necesito**_____ una calculadora para la clase de álgebra. (necesitar)

—¿Qué tal la clase de álgebra?

—Muy bien. Pero es un poco difícil.

Paco _____**mira**_____ varias calculadoras y _____**selecciona**_____ una.
(mirar, seleccionar)

—¿Cuánto _____**es**_____ la calculadora? (ser)

La calculadora _____**es**_____ un poco cara pero Paco _____**compra**_____

la calculadora y _____**paga**_____ en la caja. (ser, comprar, pagar)

Tú o Ud.

C **Preguntas** Make up three questions you want to ask one of your teachers.

1. _**Answers will vary but should use the Ud. form of the verb.**_____

2. _____

3. _____

Now write the same questions, but address them to a good friend.

4. _**Answers will vary but should use the tú form of the verb.**_____

5. _____

6. _____

Un poco más

A **¿Qué lleva?** Look at the clothing advertisement that appeared recently in the newspaper *El Nuevo Día* in San Juan, Puerto Rico.

VENTA 69.99
Reg. $92. Conjunto de pantalón
Perceptions® con blusa en diseños de rayas
a colores.

Answer the questions according to the advertisement.

1. ¿Qué lleva la muchacha?

La muchacha lleva un conjunto de pantalón con blusa.

2. ¿Cuál es el precio regular del pantalón con la blusa?

El precio regular del pantalón con blusa es 92 dólares.

3. ¿Cuál es el precio especial?

El precio especial es 69.99 dólares.

B **La ropa** Look at the following advertisements for some men's clothing that appeared recently in the newspaper *El Nuevo Día* in San Juan, Puerto Rico.

$13

CAMISAS PARA CABALLEROS.
Estilo de mangas cortas con banda.
Tallas S-XL. Regular 17.99.

$13 TIMBER CREEK BY WRANGLER

PANTALONES CORTOS TIMBER-
CREEK DE WRANGLER. Tallas 30-
42. Regular 15.99.

$16

MAHONES
COMFORT
ACTION
PARA ÉL
Regular
19.99-21.99.
Tallas
grandes
44-50,
Regular
21.99,
VENTA $18

$7

NOVEDOSAS
CAMISETAS
PARA ÉL
Tallas
S-XL.
Reg. 9.99.
Otros estilos,
Reg. 6.99,
VENTA $6

Choose the correct completion for each statement according to the information in the ads.

1. El precio regular de los pantalones cortos es __**b**__.

   a. $13   **b.** $15.99   **c.** $16

2. En Puerto Rico los mahones son __**b**__.

   a. pantalones cortos   **b.** blue jeans   **c.** camisetas

3. Hay también tallas grandes para __**c**__.

   a. las camisas   **b.** los pantalones cortos   **c.** los mahones

4. Hay varios estilos de __**b**__.

   a. camisas   **b.** camisetas   **c.** mahones

C. **Los materiales escolares** Look at the following advertisement for stationery items.

Find the Spanish equivalent for the following terms.

1. mechanical pencils ___**lápices mecánicos**___

2. replaceable lead ___**grafito reemplazable**___

3. stapler ___**engrapadora**___

4. staples ___**grapas**___

5. manila folders ___**sobres Manila**___

6. magic markers ___**marcadores**___

D. Answer the following questions according to the information in the ads in Activity C.

1. ¿Cuántos marcadores hay en un paquete?

___**cuatro**___

2. ¿Cuántos colores de marcadores hay?

___**cuatro**___

3. ¿Cuántos lápices hay en un paquete?

___**seis**___

4. ¿Cuántos sobres Manila hay en un paquete?

___**cien**___

Mi autobiografía

Continue with your autobigraphy. Describe what for you is a typical outfit of clothing. Tell what you wear to school. Tell some things you do to get ready for back to school—**la apertura de clases.**

Mi autobiografía

CAPÍTULO 4

En la escuela

Vocabulario

PALABRAS 1

A. **La escuela** Complete each statement with an appropriate word.

1. Los alumnos _____ **llegan** _____ a la escuela a eso de las ocho de la mañana.

2. Algunos toman el _____ **bus** _____ escolar y otros van en

   _____ **carro** _____ o a _____ **pie** _____.

3. Los alumnos entran en la _____ **escuela** _____.

4. Ahora los _____ **alumnos** _____ están en la sala de clase.

5. En la escuela los alumnos _____ **estudian** _____ y los profesores

   _____ **enseñan** _____.

B. **A la escuela** Answer each of the following questions.

1. ¿A qué hora llegan los alumnos a la escuela?

   Los alumnos llegan a la escuela a eso de las ocho menos cuarto.

2. ¿Cómo van a la escuela?

   Van a la escuela a pie (en carro, en el bus).

3. ¿Dónde estudian los alumnos?

   Los alumnos estudian en la sala de clase.

4. ¿Quién enseña?

   El/La profesor(a) enseña.

Vocabulario

PALABRAS 2

¿Qué es? Identify each item.

1. __Es un disco compacto.__

2. __Es un examen.__

3. __Es una pizarra (un pizarrón).__

4. __Es un casete.__

5. __Es una sala de clase.__

6. __Es una merienda.__

D **Actividades escolares** Complete each statement with an appropriate word.

1. Los alumnos _____**están**_____ en la sala de clase.

2. El profesor _____**enseña**_____ y los alumnos _____**estudian**_____.

3. Los alumnos prestan _____**atención**_____ cuando el _____**profesor**_____ habla.

4. A veces los alumnos _____**toman**_____ apuntes.

5. A veces el profesor _____**da**_____ un examen. Los alumnos

   _____**toman**_____ el examen.

6. Los alumnos que _____**estudian**_____ mucho sacan una nota

   _____**buena (alta)**_____ y los alumnos que no estudian mucho sacan una nota

   _____**mala (baja)**_____.

E   **Una fiesta** Write several sentences describing the illustration.

Answers will vary.

_____

_____

_____

_____

F   **Preguntas** Complete each question with the correct question word.

1. Los alumnos estudian.

¿ _____**Quiénes**_____ estudian?

2. Los alumnos van a la escuela.

¿ _____**Adónde**_____ van los alumnos?

3. Ahora los alumnos están en la sala de clase.

¿ _____**Dónde**_____ están los alumnos ahora?

4. El profesor enseña a los alumnos.

¿ _____**Quién**_____ enseña a los alumnos?

5. El profesor da un examen.

¿ _____**Qué**_____ da el profesor?

6. El examen es difícil.

¿ _____**Cómo**_____ es el examen?

Estructura

Presente de los verbos en -ar en el plural

A **Vamos a la escuela.** Complete each sentence with the correct form of the verb(s) in parentheses.

1. Los alumnos _____ **llegan** _____ a la escuela. (llegar)

2. Algunos _____ **toman** _____ el bus escolar. (tomar)

3. Ellos _____ **entran** _____ en la escuela. (entrar)

4. En la sala de clase los alumnos _____ **escuchan** _____ al profesor y

   _____ **toman** _____ apuntes. (escuchar, tomar)

5. Ellos _____ **prestan** _____ atención cuando el profesor _____ **habla** _____.
   (prestar, hablar)

B **Nosotros también** Rewrite the sentences from Activity A in paragraph form using **nosotros.**

Nosotros __**llegamos a la escuela. Nosotros tomamos el bus escolar. Nosotros**__

__**entramos en la escuela. En la sala de clase nosotros escuchamos al profesor y**__

__**tomamos apuntes. Nosotros prestamos atención cuando el profesor habla.**__

C **Un día en la escuela** Make up sentences using a word from each category.

Yo	estudiar	al profesor
Los alumnos	tomar	en la clase
Uds.	escuchar	a la escuela
Nosotros	mirar	mucho
Ud.	llegar	la pizarra
Ella	entrar	apuntes

1. __*Answers will vary.*_____

2. _____

3. _____

4. _____

5. _____

6. _____

Presente de los verbos **ir, dar, estar**

D   **Tres veces, por favor.** Answer each question three times according to the illustrations.

1. ¿Adónde vas?

a.   Voy a la escuela. _____

b.   Voy a la papelería. _____

c.   Voy a la tienda de ropa. _____

2. ¿Cómo vas?

a.   Voy en el bus escolar. _____

b. __Voy a pie.__ _____

c. __Voy en carro.__ _____

3. ¿Dónde estás ahora?

a. __Estoy en la sala de clase.__ _____

b. __Estoy en el café.__ _____

c. __Estoy en la clase de biología.__ _____

E **¿Dónde estoy?** Write where you are when you do each of the following activities.

Tomas un examen.
Estoy en la escuela cuando tomo un examen.

1. Tomas una merienda.

Estoy en el café, en la cafetería.

_____

2. Compras un bolígrafo.

Estoy en la papelería.

_____

3. Estudias español.

Estoy en la escuela.

_____

4. Pagas.

Estoy en la caja.

_____

5. Compras un blue jean.

Estoy en la tienda de ropa.

_____

F **¿Qué profesor?** Complete each sentence with the correct form of the verb in parentheses.

1. El profesor de biología _____ da _____ muchos exámenes. (dar)

2. El profesor de inglés y el profesor de historia no _____ dan _____ muchos exámenes. (dar)

3. Desde las tres hasta las cuatro el profesor de biología siempre _____ está _____ en el laboratorio. (estar)

4. Él _____ va _____ al laboratorio para preparar las lecciones. (ir)

5. A veces yo _____ voy _____ al laboratorio. (ir)

6. Cuando yo _____ estoy _____ en el laboratorio, trabajo con un microscopio. (estar)

G **¿Y Uds.?** Complete each conversation with the correct form of the verb in parentheses.

1. dar

—¿Tú _____**das**_____ una fiesta?

—¿Quién? ¿Yo? No, yo no _____**doy**_____ una fiesta. ¿De qué fiesta hablas?

2. ir

—¿Tú _____**vas**_____ a la fiesta de Marta?

—Sí, _____**voy**_____. ¿Tú _____**vas**_____ también?

—¡Claro! Yo _____**voy**_____ con Sandra.

—¿Cómo _____**van**_____ Uds.?

—Nosotros _____**vamos**_____ en carro.

3. estar

—Roberto, ¿cómo _____**estás**_____?

—_____**Estoy**_____ bien.

—¿Tú _____**estás**_____ bien? ¿Seguro?

—Pues, así, así. _____**Estoy**_____ nervioso.

—¿Por qué?

—Porque mañana es el examen final de español.

H **Frases originales** Make up sentences using a word from each category.

Miro	el	empleada
Miramos	la	video
	al	carpeta
	a la	profesora

1. **Answers will vary.** _____

2. _____

3. _____

4. _____

Vamos	al	clase de historia
	a la	fiesta
	a los	laboratorio
	a las	papelería
		Estados Unidos
		colegio
		escuela
		tienda
		café

5. _____

6. _____

7. _____

8. _____

9. _____

10. _____

11. _____

12. _____

Un poco más

A. **Las notas** Look at Elena's report card. Give the following information according to her report card.

INSTITUTO NACIONAL DE BACHILLERATO
"SANTA TERESA DE JESÚS"
Fomento, núm 9 • MADRID • 13

EXPLICACIÓN DE SIGLAS

C: Conocimientos.

SB	Sobresaliente
NT	Notable
B	Bien.
SF	Suficiente.
IS	Insuficiente.
MD	Muy deficiente.

Ac: Actitud.

A	Muy buena
B	Buena
C	Normal
D	Pasiva
E	Negativa

BOLETÍN DE NOTAS

DE LA ALUMNA
Elena Ruíz de las Rivas
Lope de Vega, 90
GB -0976

Curso C. O. U.
Grupo 1

CURSO ACADÉMICO
_____ 19 _____
Escobar de Cruz

DE VISITAS DE PADRES
Horas:

ALUMNA Elena Ruíz de las Rivas   Número 26 Curso C. O. U.

SESIONES DE EVALUACIÓN

MATERIAS	1° C	1° Ac	1° AG	2° C	2° Ac	2° AG
Seminario de Lengua Española	NT	B	S	NT	B	S
Filosofía	SB	A	S	SB	A	S
Lengua Extranjera Inglés	B	B	S	SF	B	S
Literatura	B	C	RC	B	C	RC
H.ª del Mundo Contemporáneo	NT	B	S	NT	B	S
Latín						
Griego	SF	C	RC	B	A	S
H. ª del Arte	B	B	S	SF	B	RC
Matemáticas						
Física	NT	A	S	SB	A	S
Química	B	C	S	NT	B	S
Biología	SF	D	RA	IS	D	RR
Geología						
Dibujo Técnico						

1. en qué escuela estudia **en el Instituto Nacional de Bachillerato Santa Teresa de Jesús**

2. qué cursos toma **Seminario de Lengua Española, Inglés, Literatura, Historia del Mundo Contemporáneo, Latín, Matemáticas, Física, Biología, Geología y Dibujo Técnico.**

3. qué nota saca en español **notable**

4. qué nota saca en matemáticas **suficiente**

B. **Actitud** Look at Elena's report card again. Write the terms used to describe a student's attitude.

1. _____ **muy buena** _____   4. _____ **pasiva** _____

2. _____ **buena** _____   5. _____ **negativa** _____

3. _____ **normal** _____

C **Conocimiento** Look at the report card again. Write the terms used to describe a student's achievement.

1. **sobresaliente** _____ 4. **suficiente** _____

2. **notable** _____ 5. **insuficiente** _____

3. **bien** _____ 6. **muy deficiente** _____

D **Estudio de palabras** When you learn one word, it is often easy to recognize and guess the meaning of another word that is related to it. Observe the following and see if you can understand the new words used in each sentence.

1. la escuela / escolar
Los alumnos llevan los materiales escolares a la escuela.
2. enseñar / la enseñanza
Los profesores enseñan. La enseñanza es la profesión de los profesores.
3. estudiar / el estudio
Los alumnos estudian la biología. La biología es el estudio de las plantas y los animales.
4. apuntar / los apuntes
Los alumnos toman apuntes cuando el profesor habla. El profesor apunta algo importante en una hoja de papel.
5. cantar / el (la) cantante / la canción
El cantante canta una canción bonita.
6. bailar / el (la) bailador(a) / el baile
El baile que bailan los bailadores es la rumba cubana.

E Look at the following advertisement that appeared recently in the newpaper *El Nuevo Día* in San Juan, Puerto Rico. Then answer the following questions in English.

1. What do the young people have in their hands?

newspapers _____

2. What is the advertisement looking for?

people to deliver newspapers _____

Mi autobiografía

Continue with your autobiography. Write about a typical school day. Tell some things you do in school each day. Describe your school and some of your classes and clubs.

Mi autobiografía

SELF-TEST 1

A Identify each item.

1. _____**la escuela**_____

2. _____**el cuaderno (el bloc)**_____

3. _____**la carpeta**_____

4. __**la camiseta (el T-shirt)**__

5. _____**la blusa**_____

6. __**el par de tenis (los tenis)**__

7. _____**el bus escolar**_____

8. _____**la mochila**_____

WORKBOOK
Copyright © Glencoe/McGraw-Hill

¡Buen viaje! Level 1 Self-Test 1 ∾ 41

B   Answer the following questions.

1. ¿Cuántos cursos tomas?

    Tomo _____ cursos.

2. ¿Estudias el español?

    Sí, estudio el español.

3. ¿Qué cursos son fáciles y qué cursos son difíciles?

    _____ y _____ son fáciles y _____ y _____ son difíciles.

4. ¿Cómo es el profesor o la profesora de español?

    El/La profesor(a) de español es _____ .

5. ¿Qué compran los alumnos en la papelería?

    Compran lápices, cuadernos, carpetas, papel, bolígrafos, marcadores, etc.

6. ¿En qué llevan Uds. los materiales escolares a la escuela?

    Llevamos los materiales escolares a la escuela en una mochila.

7. ¿Llevas una camiseta y un par de tenis a la escuela?

    Sí, (No, no) llevo una camiseta y un par de tenis a la escuela.

8. ¿Quiénes prestan atención cuando el profesor habla en clase?

    Los alumnos prestan atención cuando el profesor habla en clase.

Nombre _____ Fecha _____

C. Complete each sentence with the correct form of the verb(s) in parentheses.

1. ¡Hola! Yo _____**soy**_____ *(your name)*. (ser)

2. Nosotros _____**somos**_____ alumnos. (ser)

3. Nosotros _____**estudiamos**_____ en la Escuela Franklin. (estudiar)

4. ¿Dónde _____**estudian**_____ Uds.? (estudiar)

5. Yo _____**tomo**_____ cinco cursos. ¿Cuántos cursos _____**tomas**_____ tú?
   (tomar, tomar)

6. Algunos cursos _____**son**_____ fáciles y otros _____**son**_____ difíciles.
   (ser, ser)

7. ¿En qué clase _____**estás**_____ tú ahora? (estar)

8. Yo _____**estoy**_____ en la clase de español pero ahora _____**voy**_____ a
   la clase de álgebra. (estar, ir)

9. El viernes el Club de español _____**da**_____ una fiesta y todos nosotros

   _____**vamos**_____. (dar, ir)

D. Combine the following words to make a sentence as in the model.

curso / interesante / difícil
El curso es interesante y difícil.

1. clase / aburrido / difícil

   _____**La clase es aburrida y difícil.**_____

2. lenguas / fácil

   _____**Las lenguas son fáciles.**_____

3. muchacha / guapo / simpático

   _____**La muchacha es guapa y simpática.**_____

4. muchachos / guapo / popular

   _____**Los muchachos son guapos y populares.**_____

WORKBOOK
Copyright © Glencoe/McGraw-Hill

¡Buen viaje! Level 1 Self-Test 1   **43**

E Complete each sentence with the appropriate word(s).

1. Miramos ____un____ video.

2. Miramos ____al____ profesor y escuchamos ____al____ profesor cuando él habla en clase.

3. Vamos ____a la____ fiesta ____del____ Club de español.

4. Hablamos ____de la____ clase de biología.

F Give the following information.

1. un suburbio de Lima ____Miraflores____

2. la capital de Venezuela ____Caracas____

3. el número de países en que el español es la lengua oficial ____21____

4. cuando es la apertura de clases en Madrid ____a fines de septiembre____

CAPÍTULO 5

En el café

Vocabulario

A **¿Qué es?** Identify each item and indicate whether it is **para comer** or **para beber**.

1

2

3

4

5

6

7

Para comer

    2. el bocadillo (el sándwich)

    4. el postre (el pan dulce)

    6. las papas fritas

    7. la ensalada

Para beber

    1. la Coca-Cola

    3. el café solo

    5. la limonada

B   **En el café** Complete the following conversation with the appropriate words.

—¿Qué _____**desean**_____ Uds.?
　　　　　　1

—Para _____**mí**_____, un café solo, por favor.
　　　　　2

—Y para mí, ___**(answers will vary)**___, por favor.
　　　　　　　　3

—Deseo pagar _____**la cuenta**_____, por favor.
　　　　　　　　4

—Sí, señor. Enseguida.

—¿Está incluido _____**el servicio**_____?
　　　　　　　　5

—Sí, señor.

C   **¿Hay una mesa?** Complete the following paragraph with the appropriate words.

Cuando el/la cliente llega a un café _____**busca**_____ una mesa libre. Cuando
　　　　　　　　　　　　　　　　　　　　1

_____**ve**_____ una mesa libre, toma la mesa. El mesero llega a la mesa. El/La
　　　　2

cliente _____**lee**_____ el menú y el mesero _____**escribe**_____ la orden.
　　　　　3　　　　　　　　　　　　　　　　　4

Vocabulario

D. **¿Qué es?** Identify each item.

1. _____**las judías verdes**_____

2. _____**las papas**_____

3. _____**las manzanas**_____

4. _____**los plátanos**_____

5. _____**la carne**_____

6. _____**el pollo**_____

7. _____**los mariscos**_____

E   **Comidas**   Answer each question.

1. ¿Cuáles son las tres comidas del día?

<u>Las tres comidas del día son el desayuno, el almuerzo y la cena.</u>

2. ¿En qué comida tomamos un café o chocolate caliente y un pan dulce o cereal?

<u>Tomamos un café o un chocolate caliente y un pan dulce o cereal en el desayuno.</u>

3. En los Estados Unidos, ¿cuál es la comida principal?

<u>En los Estados Unidos la comida principal es la cena.</u>

4. ¿En qué comida come la gente un sándwich o una ensalada?

<u>La gente come un sándwich o una ensalada en el almuerzo.</u>

F   **En el mercado**   Complete the following conversation.

—¿ _____ **A cuánto** _____ están las manzanas hoy?

               1

—_____ **Están** _____ a veinte pesos _____ **el** _____ kilo.

           2   **3**

—Un kilo, por favor.

—_____ **Algo más** _____, señora?

             4

—No, _____ **nada** _____ más, gracias.

             5

—Luego, un kilo de _____ **manzanas** _____. Son veinte pesos.

                              6

G   **¿Qué es?**   Identify each item.

1. _____ un bote (una lata) de atún _____

2. _____ una bolsa de guisantes _____

3. _____ un paquete de zanahorias congeladas _____

Estructura

Presente de los verbos en –er e –ir

A. **Frases** Match the verb in the left-hand column with the appropriate word(s) in the right-hand column.

1. __a__ leer
2. __e__ escribir
3. __f__ beber
4. __b__ comer
5. __c__ vivir
6. __d__ aprender

a. el menú
b. un bocadillo
c. en Madrid
d. el inglés en la escuela
e. la orden
f. una limonada

B. **Alejandra** Write sentences about Alejandra, using the phrases from Activity A.

1. __Alejandra lee el menú.__
2. __Alejandra escribe la orden.__
3. __Alejandra bebe una limonada.__
4. __Alejandra come un bocadillo.__
5. __Alejandra vive en Madrid.__
6. __Alejandra aprende el inglés en la escuela.__

C. **Los dos amigos** Rewrite the sentences from Activity B, changing **Alejandra** to **Los dos amigos.**

1. __Los dos amigos leen el menú.__
2. __Los dos amigos escriben la orden.__
3. __Los dos amigos beben una limonada.__
4. __Los dos amigos comen un bocadillo.__
5. __Los dos amigos viven en Madrid.__
6. __Los dos amigos aprenden el inglés en la escuela.__

D   **Personalmente** Answer the following questions.

1. ¿Dónde vives?

     Answers will vary. _____

_____

2. ¿Viven Uds. en un apartamento?

     Sí, (No, no) vivimos en un apartamento. _____

_____

3. ¿Comen Uds. en la cafetería de la escuela?

     Sí, (No, no) comemos en la cafetería de la escuela. _____

_____

4. ¿Qué comes en (para) el almuerzo?

     Answers will vary. _____

_____

5. ¿Leen Uds. mucho?

     Sí, (No, no) leemos mucho. _____

_____

6. ¿En qué clase lees tú mucho?

     Leo mucho en la clase de *(answers will vary).* _____

_____

7. ¿Escribes muchas composiciones?

     Sí, (No, no) escribo muchas composiciones. _____

_____

8. ¿Para qué clase escriben Uds. muchas composiciones?

     Escribimos muchas composiciones para la clase de *(answers will vary).*

_____

E **En la escuela** Complete each mini-conversation with the correct form of the verb in parentheses.

1. (comprender)

—Oye, Sandra, ¿ _____**comprendes**_____ tú la lección?

—Sí, _____**comprendo**_____ la lección.

2. (aprender)

—Sandra, ¿ _____**aprendes**_____ mucho en la escuela?

—Sí, sí. _____**Aprendo**_____ mucho.

3. (recibir)

—Sandra, ¿ _____**recibes**_____ (tú) notas muy altas?

—Pues, a veces _____**recibo**_____ notas altas pero no siempre.

4. (escribir)

—Sandra y Tomás, ¿ _____**escriben**_____ Uds. muchas composiciones para la clase de inglés?

—Sí, _____**escribimos**_____ muchas.

5. (comprender)

—Sandra y Tomás, ¿ _____**comprenden**_____ Uds. las instrucciones en el laboratorio de física?

—Sí, _____**comprendemos**_____ las instrucciones.

F. **En el café** Answer according to the illustration.

1. ¿Hay muchos o pocos clientes en el café?

Hay muchos clientes en el café.

2. ¿Hay muchas o pocas mesas libres?

Hay pocas mesas libres.

3. ¿Hay una mesa libre para los clientes que llegan ahora?

Sí, hay una mesa libre para los clientes que llegan ahora.

4. ¿Hay un menú en la mesa?

Sí, hay un menú en la mesa.

5. ¿Hay pizzas en el menú?

Sí, hay pizzas en el menú.

Un poco más

A. **Un anuncio** Read the following advertisement for a fast-food restaurant that appeared in the Puerto Rican newspaper *El Nuevo Día.*

B. **Preguntas** Answer the questions according to the information in the ad in Activity A.

1. ¿Cuánto cuesta el desayuno? __**$3.99**_____

2. Y el almuerzo, ¿cuánto cuesta? __**$4.99**_____

3. ¿Cuántos restaurantes Denny hay en Puerto Rico? __**nueve**_____

4. ¿Para qué días de la semana es válida la oferta especial? __**de lunes a jueves**_____

5. ¿Qué no está incluido en la oferta? __**"steak" y mariscos**_____

C. **A escoger** Look at the ad in Activity A again. Label each of the following items by writing the appropriate letter alongside each item.

1. __c__ una ensalada

2. __e__ dos huevos fritos

3. __f__ un sándwich club

4. __d__ panqueques

5. __a__ una hamburguesa

6. __b__ papas fritas

D. El menú Look at the menu from a fast-food restaurant in Madrid.

E. Adivinen. There are many words in the menu in this ad that you already know. There are some, however, that you do not know. Find the Spanish equivalent for the following.

1. cream cheese   **queso crema**

2. mayonnaise   **mayonesa (mahonesa)**

3. salmon   **salmón**

4. tomato slices   **rodajas de tomate**

5. asparagus   **espárragos**

6. grilled chicken   **pollo a la plancha**

7. barbecue sauce   **salsa barbacoa**

8. mineral water   **agua mineral**

9. juices   **zumos**

F. **Comestibles** Read the ads for food that appeared in some Spanish and Mexican newspapers.

G. **Los precios** Look at the ads in Activity F again and give the price of the following items.

1. tres latas de atún en aceite vegetal _____ **165** _____

2. cuatro latas de salsa de tomate _____ **99¢** _____

3. una bolsa de cinco libras de papas _____ **$1.89** _____

4. una botella de aceite de oliva _____ **365** _____

Mi autobiografía

Continue with your autobiography. Tell where you live. Describe some things you do after school. Do you go to a café with some friends? Tell what you eat and drink. Tell some things about your daily routine. When do you eat each meal and what do you usually eat?

Mi autobiografía

CAPÍTULO 6

La familia y su casa

Vocabulario

A. **El árbol genealógico** Write the relationship of each person to Alejandra.

el abuelo   la abuela   el abuelo   la abuela

el padre   la madre   el tío   la tía

el hermano   la hermana   la prima   el primo

B. **Una familia** Complete each sentence with the appropriate word(s).

1. Una familia grande tiene muchas _____**personas**_____ y una familia pequeña tiene

   pocas _____**personas**_____.

2. Una persona que tiene catorce años es _____**joven**_____ y una persona que tiene

   noventa años es _____**vieja**_____.

3. Muchas familias tienen un _____**perro**_____ o un gato.

4. El _____**perro**_____ y el _____**gato**_____ son animales domésticos.

C **El cumpleaños** Complete with the appropriate words.

Hoy es el _____**cumpleaños**_____ de Diana. Ella _____**tiene (cumple)**_____ catorce
                          1   2

años. Sus padres dan una _____**fiesta**_____ en su honor para celebrar su
                                       3

_____**cumpleaños**_____. Los padres _____**invitan**_____ a los amigos y a los
                   4   5

parientes de Diana a la fiesta. Diana recibe muchos _____**regalos**_____.
                                                           6

Vocabulario   PALABRAS 2

D **Los cuartos** Label the rooms of the house.

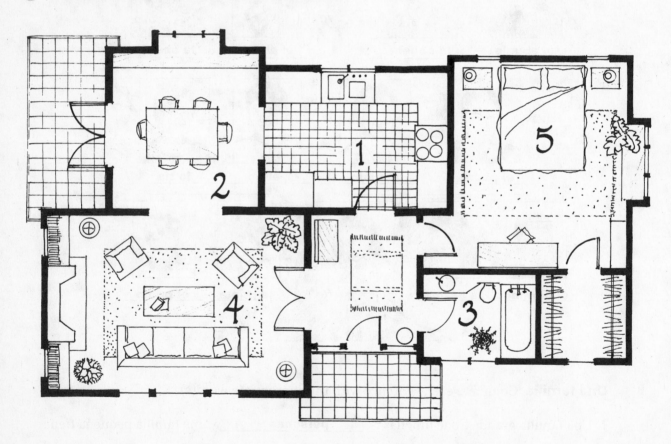

1. _____**la cocina**_____   4. _____**la sala**_____

2. _____**el comedor**_____   5. **el dormitorio (la recámara, el cuarto)**

3. _____**el cuarto de baño**_____

E   **La casa** Identify each item.

1. _____ **la casa** _____   2. _____ **el apartamento** _____

3. _____ **el jardín** _____   4. _____ **el garaje** _____

5. _____ **la calle** _____   6. _____ **el carro (el coche)** _____

F   **Actividades familiares** Complete each sentence with the appropriate word.

1. La familia _____ **come** _____ en el comedor.

2. La familia prepara la comida en la _____ **cocina** _____ .

3. La familia mira (ve) la televisión en la _____ **sala** _____ .

4. José estudia o escucha la radio en su **cuarto (dormitorio, recámara)**

5. La familia lee el _____ **periódico** _____ en la sala.

G   **Personalmente** Give your own answers.

1. Cuando tú ves la televisión, ¿qué tipo de emisiones ves?

Answers will vary.

2. Cuando lees, ¿qué lees?

Answers will vary.

H   **En casa** Write as much about the illustration as you can.

Answers will vary but may include the following:

La familia está en la sala. La madre lee un libro y el padre lee el periódico.

La muchacha habla con su hermano. Miran (Ven) la televisión.

_____

_____

_____

_____

_____

Estructura

Presente de tener

A. **Más preguntas personales** Give your own answers.

1. ¿Cuántos hermanos tienes?

   **Answers will vary.**

2. ¿Tienes tíos?

   Sí, (No, no) tengo tíos.

3. ¿Tienes primos? Si tienes primos, ¿cuántos tienes?

   Sí, (No, no) tengo primos. _Answers will vary._

4. ¿Tienes abuelos?

   Sí, (No, no) tengo abuelos.

5. ¿Cuántos años tienes?

   Tengo _____ años.

6. ¿Tienes una mascota (un animal doméstico)?

   Sí, (No, no) tengo (una) mascota.

7. Si tienes una mascota, ¿qué tienes?

   Tengo _____.

B. **La edad** Give the age of each member of your immediate family.

**Answers will vary but must include a form of the verb tener.**

_____

_____

_____

_____

C **¿Qué tiene?** Tell what each person has.

1. Ella / perro

    Ella tiene un perro.

2. Ellos / coche grande

    Ellos tienen un coche grande.

3. Yo / bicicleta

    Yo tengo una bicicleta.

4. Nosotros / casa privada

    Nosotros tenemos una casa privada.

5. Uds. / apartamento elegante

    Uds. tienen un apartamento elegante.

6. Tú / mucho dinero

    Tú tienes mucho dinero.

Tener que; Ir a

D **Es necesario.** Answer each question.

1. ¿Qué tienes que escribir para la clase de inglés?

    Tengo que escribir composiciones para la clase de inglés.

2. ¿Tienen Uds. que hablar español en la clase de español?

    Sí, tenemos que hablar español en la clase de español.

3. ¿A qué hora tienen que llegar los alumnos a la escuela?

    Los alumnos tienen que llegar a la escuela a las (answers will vary).

4. ¿Qué tiene que preparar un miembro de la familia en la cocina?

    Un miembro de la familia tiene que preparar la comida (la cena) en la cocina.

5. ¿Qué tienes que comprar para el cumpleaños de un(a) pariente?

    Tengo que comprar un regalo para el cumpleaños de un(a) pariente.

E **Mañana** Tell what each person is going to do tomorrow. Use **ir a**.

1. Yo doy una fiesta en honor de Adela.

   Mañana yo voy a dar una fiesta en honor de Adela.

2. Paco cumple quince años.

   Mañana Paco va a cumplir quince años.

3. Tú escribes una composición para la clase de español.

   Mañana tú vas a escribir una composición para la clase de español.

4. Los padres invitan a los abuelos a comer.

   Mañana los padres van a invitar a los abuelos a comer.

5. Nosotros compramos un regalo para la abuela.

   Mañana nosotros vamos a comprar un regalo para la abuela.

Adjetivos posesivos

F **Preguntas personales** Give your own answers.

1. ¿Dónde viven tus abuelos?

   Answers will vary.

2. ¿Cuántos hijos tiene tu abuela materna?

   _____

3. ¿Dónde trabaja tu madre o tu padre?

   _____

4. ¿Tienes hermanos? ¿A qué escuela van tus hermanos? Si no tienes hermanos, ¿a qué escuela van tus amigos?

   _____

G **Tareas** Tell what each person has to do for his or her class. Use **mi, tu,** or **su.**

1. Carlos tiene que preparar un informe para __su__ clase de inglés.

2. Yo tengo que escribir una composición para __mi__ clase de inglés.

3. Juan y Lupe tienen que preparar una conversación para __su__ clase de español.

4. Tú tienes que resolver cuatro problemas para __tu__ clase de álgebra.

5. Elena tiene que escribir a __su__ tía.

H **Los primos** Tell about your cousins.

1. __Mis__ primos viven en _____*answer will vary*_____ .

2. __Su__ casa está en la calle _____*answer will vary*_____ .

3. Su madre es __mi__ tía Dolores.

4. __Mi__ tía Dolores, __su__ madre, tiene una tienda.

5. En __su__ tienda ella vende discos y videos.

I **Nuestra familia** Rewrite the sentences, changing **mi(s)** or **tu(s)** to **nuestro(s)** or **su(s).**

1. ¿Cuántas personas hay en tu familia?

   ¿Cuántas personas hay en su familia? _____

2. En mi familia hay cinco personas. Somos cinco.

   En nuestra familia hay cinco personas. Somos cinco. _____

3. ¿Viven tus abuelos en Madrid?

   ¿Viven sus abuelos en Madrid? _____

4. No, mis abuelos viven en México.

   No, nuestros abuelos viven en México. _____

5. ¿Visitan mucho tus abuelos?

   ¿Visitan mucho sus abuelos? _____

Un poco más

A. **Y tú... ¿quién eres?** Read the **Y tú... ¿quién eres?** column that appears regularly in the Mexican magazine *Eres.*

• **Ernesto López Rodríguez (15 años).**
Administración Urbana #81, Col. Ajusco, México, D.F., C.P. 04300.
Pasatiempos: leer, escribir, escuchar música y coleccionar timbres y postales.

• **Mauricio Ruiz Esparza Muñoz (15 años).**
Dr. Pedro de Alba #542, Col. San Marcos, Aguascalientes, Ags., C.P. 20070.
Pasatiempos: jugar futbol, leer Eres, ver televisión y escuchar música.

• **Mónica Lara Téllez (15 años).**
Mariano Avila #605, Int. 5, Col. Tequis, San Luis Potosí, S.L.P., C.P. 78250.
Pasatiempos: patinar, jugar hockey y escuchar música en inglés.

• **Diana Calderón Sánchez (15 años).**
Cuauhtémoc #97, Col. Del Valle, Tuxpan, Ver., C.P. 92875.
Pasatiempos: hacer gimnasia, leer Eres y coleccionar todo lo relacionado con Magneto.

• **Luis Fernando Cantú García (15 años).**
Morelos #707, Col. Zona Centro, Monclova, Coah., C.P. 25700.
Pasatiempos: ver televisión y escuchar música.

• **A. Laura Hernández (16 años).**
Vía Santa Ana #406, Fracc. Villas de Santa Ana, Monclova, Coah., C.P. 25710.
Pasatiempos: leer Eres, hablar por teléfono, escuchar música y coleccionar todo lo relacionado con Cristian Castro.

• **Eva Beatriz Rubio López (16 años).**
Tula #1129, C.F.E., Irapuato, Gto., C.P. 36361.
Pasatiempos: escuchar música, ver televisión, hacer ejercicio e ir al cine.

• **Jessica Berenice Estrada Avilés (16 años).**
José García Rdz. #2018, Col. Asturias, Monclova, Coah., C.P. 25790.
Pasatiempos: leer Eres, escuchar música y salir a pasear.

• **Cynthia Ivonne Chao Alcaraz (16 años).**
Calle 31-D #5, Col. Camarones II, Cd. del Carmen, Camp., C.P. 86130.
Pasatiempos: escuchar música, cantar, bailar, pasear y hacer cosas nuevas.

• **Blanca Fabiola y Arturo Lugo Belmonte (16 y 22 años).**
Cocotero #119, Col. Arboledas, León, Gto., C.P. 37480.
Pasatiempos: leer cómics, escuchar a Barrio Boyz y tener amigos.

• **Alejandra Alvarez Lemus (17 años).**
And. Argentina #238, Col. Aníbal Ponce, Las Guacamayas, Mich., C.P. 60990.
Pasatiempos: leer, escribir cartas, caminar y nadar.

• **Cristina Pérez Sánchez (17 años).**
5 de Mayo #10, Atengo, Jalisco, C.P. 48190.
Pasatiempos: escuchar música, leer Eres y coleccionar todo lo relacionado con Magneto.

• **Mildred Gabriela Gómez Martínez (17 años).**
Hidalgo #1759 Nte., Col. República, Saltillo, Coah., C.P. 25280.
Pasatiempos: leer, escuchar música, bailar y coleccionar todo lo relacionado con Ricky Martin.

• **Bárbara Elizabeth Vázquez Cadena (17 años).**
Francisco Sarabia #15, Col. Rosa María, Tuxpan, Ver., C.P. 92860.
Pasatiempos: leer y dibujar.

• **Jesús Alberto García (17 años).**
Calle 8a. #1408, Col. Emiliano Zapata, Cd. Ojinaga, Chih., C.P. 32881.
Pasatiempos: coleccionar Eres y todo lo relacionado con Mónica Naranjo, escuchar música y escribir cartas.

• **Giovanna Esmeralda Pérez Quijano (18 años).**
Mar del Norte #177, Fracc., Costa Verde, Boca del Río, Veracruz, C.P. 94294.
Pasatiempos: navegar por Internet, leer Eres y todo lo que tenga que ver con el WEB y escuchar música de Spice Girls

• **Liliana Gpe. Silva (20 años).**
Apdo. Postal #1928, Monterrey, N.L., C.P. 64000.
Pasatiempos: leer Eres y coleccionar todo lo relacionado con Enrique Iglesias.

• **Ma. Antonieta Caballero Espinosa (20 años).**
Prol. Paseo de la Asunción #515, Fracc. Villas del Oeste, Aguascalientes, Ags., C.P. 20280.
Pasatiempos: ir al cine, escribir y nadar.

Ma. Teresa Razo Rangel (24 años).
Ote. 15 #184, Col. Reforma, Cd. Nezahualcóyotl, Edo. de Méx., C.P. 57840.
Pasatiempos: escuchar música, jugar basquetbol, hacer aeróbics y tener amigos por correspondencia.

Jesús Argos Galván Hernández (25 años).
Pedro Fuentes #338, Fracc. Urdiñola, Saltillo, Coah., C.P. 25315.
Pasatiempos: escribir cartas e intercambiar correspondencia.

• **Gustavo Cortez (17 años).**
133 Deanna Dr., San Juan, TX., 78589, U.S.A.
Pasatiempos: patinar, coleccionar fotos de Fey, ir a conciertos y escuchar música.

• **Yina Guerrero (15 años).**
Calle 4 #4, Villa Margarita, La Vega, Rep. Dominicana.
Pasatiempos: escuchar música, escribir cartas, coleccionar revistas, pósters y todo lo relacionado con Ricky Martin, Menudo y Magneto.

• **Roxana Funes (22 años).**
Calle 31 #640, General Pico, La Pampa, Arrgentina, C.P. 6360.
Pasatiempos: tener amigos por correspondencia y escuchar música.

• **Carolina Linares Ferrandiz (23 años).**
Apdo. Postal #405, 03500 Benidorm, Alicante, España.
Pasatiempos: coleccionar todo lo relacionado con Luis Miguel, leer, escribir, ir al cine, pintar y escuchar música.

B **Ernesto López Rodríguez** Answer the questions about Ernesto López Rodríguez according to the information in Activity A.

1. ¿Dónde vive Ernesto?

   Vive en México.

2. ¿Cuántos años tiene?

   Tiene quince años.

3. ¿Cuál es su zona postal?

   Su zona postal es 04300.

4. ¿Lee mucho Ernesto?

   Sí, lee mucho.

5. ¿Escribe mucho también?

   Sí, escribe mucho también.

6. ¿Qué escucha?

   Escucha música.

7. ¿Qué colecciona?

   Colecciona timbres y postales.

C **¿Quién es?** Write the name of the person(s) being described according to the information in Activity A.

1. Escuchan la música del grupo (conjunto) Barrio Boyz.

Blanca Fabiola y Arturo Lugo Belmonte

2. Escucha música en inglés.

Mónica Lara Téllez

3. Escribe(n) cartas.

Alejandra Alvarez Lemus, Jesús Alberto García, Jesús Argos Galván, Yina Guerrero

4. Leen cómicos.

Blanca Fabiola y Arturo Lugo Belmonte

5. Vive en Jalisco.

Cristina Pérez Sánchez

6. Lee(n) la revista *Eres.*

Mauricio Ruiz Esparza Muñoz, Diana Calderón Sánchez, A. Laura Hernández,

Jessica Berenice Estrada, Cristina Pérez Sánchez,

Giovanna Esmeralda Pérez Quijano, Liliana Gpe. Silva

7. Ve(n) televisión.

Mauricio Ruiz Esparza Muñoz, Luis Fernando Cantú García, Eva Beatriz Rubio López

D **Para vender** Read the ad that appeared in a newspaper in Puerto Rico.

SE VENDE
Dálmata de
Mes y Medio
Tel. 761-7335

E **A escoger** Choose the word that best completes the sentence according to the information in the ad in Activity D.

Un Dálmata es __**b**__.

   a. un teléfono

   b. un perro

   c. un gato

F **Preguntas** Answer the questions according to the information in the ad in Activity D.

1. ¿Qué van a vender? __**un perro**__

2. ¿De qué raza es el perro? __**Dálmata**__

3. ¿Cuántos años o meses tiene el perrito? __**un mes y medio**__

4. Si vas a comprar el perro, ¿qué número de teléfono tienes que llamar? __**761-7335**__

Nombre _____ Fecha _____

G. **Un anuncio** Read the ad for furniture that appeared in a newspaper in Puerto Rico.

TELEVISOR A COLOR

¡PRECIOS POR DEBAJO DE NUESTROS ESPECIALES!

19" Control remoto.
Mod. DTQ20
Reg. $266.00

ESP. **$189^{95}**

JUEGO DE SALA

Sofá, butaca y mecedora
Mod. 5000.
Reg. $400.00

ESP. **$279^{95}**

JUEGO DE COMEDOR

Mesa con 4 sillas.
Mod. 4411.
Reg. $159.00

ESP. **$99^{95}**

NEVERA MARCA RECONOCIDA

7.9 PIES CÚBICOS.
1 Puerta
Mod. RMC090.
Reg. $454.00

ESP. **$299^{95}**

65TH. INFANTERIA	ARECIBO	BAYAMON	CABO ROJO	CAGUAS	DORADO	FAJARDO	HUMACAO	HATO REY	ISABELA	PONCE	RIO GRANDE	RIO PIEDRAS
Ave. 65 de Infantería Km.4, Hills Brothers Río Piedras	Lloréns Torres 201 (frente Unidad de Salud Pública)	Carr. #2, Marginal C-17 Frente al Santa Rosa Shopping Center, Bayamón	Cabo Rojo Plaza Carr. #100, Km. 7.2	Carr. 156 Esq. Betances, Km. 60.1 Salida Aguas Buenas	Porqué Industrial Dorado Carr. Est. 7693	Carr. #3 Km. 44.4 (al lado de la Cooperativa Roosevelt Road)	Calle Doctor Vidal #53 (Antiguo Teatro)	Ave. Ponce de León 452 Pda. 35 al lado de la Asociación de Maestros	Carr. #2 Int. 494 Plaza Isabela Shopping Center	Valle Real Shopping Center Ponce by pass	Carr. #3 (65th.Inf.) Km.23.5 Urb. Industrial Las Flores	De Diego #258 Casi esquina Barbosa
										843-7050		
759-7199	880-2778	786-7123	255-2210	743-6167	278-1028	863-0030	852-6875	756-7485	830-1188	843-7090	887-1130	250-0289
759-8379	880-2797	740-4104	255-2215	743-6166	278-1056	863-0128	852-6879	756-7441	830-0570		887-1150	250-0293

NO LAY AWAYS. *Sujeto a aprobación de crédito. 5 de cada uno de los artículos por tienda. Mensualidades para 36 meses computándose en base a 20% de pronto. Seguros de vida y propiedad (opcional) (APR21%). Precios regulares desde $20.00 a $2,000.00. Descuentos desde un 10% hasta un 50%. **Debe ser de igual marca y modelo en ventas al contado solamente. Compras financiadas sólo de $350 en adelante. NO LAY AWAYS. Oferta válida hasta el 21 de febrero.

H. **Buscando informes** Answer the questions according to the information in the ads in Activity G.

1. ¿Cuál es el precio del televisor a color? __**$189.95**__

2. ¿Tiene el televisor control remoto? __**sí**__

3. ¿Cuántas mesas hay en el juego de comedor? __**una mesa**__

4. ¿Cuántas sillas tiene el juego? __**cuatro sillas**__

5. ¿Es para la cocina o para el comedor una nevera? __**para la cocina**__

6. ¿Cuántas puertas tiene la nevera? __**una puerta**__

I. **¿Cómo se dice... ?** Find the equivalent Spanish expressions in the ad in Activity G.

1. living room set __**juego de sala**__

2. sofa __**sofá**__

3. armchair __**butaca**__

4. rocker __**mecedora**__

Mi autobiografía

Write as much as you can about your family and your house. If you have a pet, be sure to mention him or her. Give the name and age of each of the members of your family. Then give a brief description of each one. Tell some of the activities you do at home.

Mi autobiografía

CAPÍTULO 7

Deportes de equipo

Vocabulario
PALABRAS 1

A. **El cuerpo** Identify each part of the body.

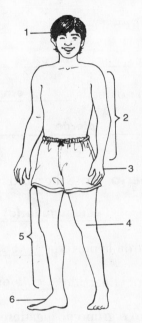

1. ___la cabeza___

2. ___el brazo___

3. ___la mano___

4. ___la rodilla___

5. ___la pierna___

6. ___el pie___

B. **¿Qué es?** Identify each item.

 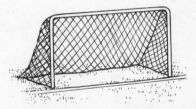

1. ___el equipo de fútbol___ 2. ___el balón___ 3. ___la portería___

4. ___el tablero indicador___ 5. ___el estadio___

C **Un partido de fútbol** Complete each sentence with the appropriate word.

1. Cuando juegan al fútbol, los jugadores no pueden tocar el balón con

   _____**la(s) mano(s)**_____.

2. Para marcar un tanto el balón tiene que entrar en la ____**portería**____.

3. Cuando empieza el segundo _____**tiempo**_____, los jugadores vuelven al campo.

4. Juegan al fútbol en el _____**campo**_____ de fútbol.

5. El jugador _____**marca**_____ un tanto cuando _____**mete**_____ un gol.

6. Si el tanto no queda _____**empatado**_____, un equipo gana el partido y el otro

   equipo _____**pierde**_____.

D **Un diccionario** Write the word being defined.

1. el que juega _____**el/la jugador(a)**_____

2. el que guarda la portería _____**el/la portero(a)**_____

3. el que mira el partido _____**el/la espectador(a)**_____

4. el conjunto o grupo de jugadores _____**el equipo**_____

5. ser victorioso _____**ganar**_____

6. no dejar o permitir entrar _____**bloquear (parar)**_____

7. contrario de ganar _____**perder**_____

8. meter el balón en la portería _____**meter un gol (marcar un tanto)**_____

Vocabulario   PALABRAS 2

E   **Deportes** Answer.

1. Write the names of three sports.

    el fútbol, el béisbol, el básquetbol (el baloncesto)

2. Write four words associated with basketball.

    Answers will vary but may include the following: driblar, pasar, tirar, encestar,
    la cancha, el cesto (la canasta), el balón

3. Write four words associated with baseball.

    Answers will vary but may include the following: la pelota, el guante, el bate,
    la base, el platillo, el jonrón, el bateador, el pícher (el lanzador), el receptor,
    la entrada, correr, atrapar, batear

F   **Un partido de béisbol** Answer.

1. ¿Cuántas entradas hay en un partido de béisbol?

    Hay nueve entradas en un partido de béisbol.

2. ¿Quién lanza la pelota al bateador?

    El pícher (El lanzador) lanza la pelota al bateador.

3. ¿Quién batea?

    El bateador batea.

4. ¿Cuántas bases hay en el béisbol?

    Hay cuatro bases en el béisbol.

5. ¿Con qué atrapa la pelota el jugador de béisbol?

    El jugador de béisbol atrapa la pelota con el guante.

G   **Mi deporte favorito** Write a paragraph about your favorite sport.

    Answers will vary.

    _____

    _____

    _____

    _____

Estructura

Verbos de cambio radical e → ie en el presente

A **¿Jugar qué?** Rewrite the following sentences in the singular.

1. Queremos jugar (al) béisbol.

    Quiero jugar (al) béisbol.

2. Preferimos jugar en el parque.

    Prefiero jugar en el parque.

3. Empezamos a jugar a las dos y media.

    Empiezo a jugar a las dos y media.

4. Mis hermanos quieren jugar al fútbol.

    Mi hermano quiere jugar al fútbol.

5. Ellos prefieren jugar en el campo de la escuela.

    Él prefiere jugar en el campo de la escuela.

6. Empiezan a jugar al mediodía.

    Empieza a jugar al mediodía.

B **Al café** Rewrite the following sentences in the plural (**nosotros**).

1. Quiero comer.

    Queremos comer.

2. Prefiero ir al café Gijón.

    Preferimos ir al café Gijón.

3. Quiero un sándwich (un bocadillo).

    Queremos un sándwich (un bocadillo).

4. Empiezo a comer.

    Empezamos a comer.

C. **El partido de hoy** Complete each sentence with the correct form of the verb(s) in parentheses.

1. Hoy nosotros _____**empezamos**_____ a jugar a las dos. (empezar)

2. Nosotros _____**queremos**_____ ganar. No _____**queremos**_____ perder. (querer, querer)

3. Si nosotros _____**perdemos**_____ el partido de hoy, _____**perdemos**_____ todo. (perder, perder)

D. **El partido de hoy** Rewrite each sentence in Activity C, changing **nosotros** to **yo.**

1. ___**Hoy yo empiezo a jugar a las dos.**_____

2. ___**Yo quiero ganar. No quiero perder.**_____

3. ___**Si yo pierdo el partido de hoy, pierdo todo.**_____

Verbos de cambio radical o → ue en el presente

E. **Cosas personales** Complete each sentence with the correct form of the verb in parentheses.

1. Yo _____**duermo**_____ ocho horas cada noche. (dormir)

2. Yo _____**puedo**_____ llegar a la escuela a las ocho menos cuarto. (poder)

3. Yo _____**puedo**_____ tomar el autobús. (poder)

4. Yo _____**juego**_____ al fútbol después de las clases. (jugar)

5. Yo _____**juego**_____ con el equipo de la escuela. (jugar)

6. Yo _____**vuelvo**_____ a casa a las cinco y media o a las seis. (volver)

7. Yo _____**duermo**_____ muy bien después de jugar mucho. (dormir)

E **El plural** Rewrite the sentences in Actvity E, changing **yo** to **nosotros.**

1. __Nosotros dormimos ocho horas cada noche.__

2. __Nosotros podemos llegar a la escuela a las ocho menos cuarto.__

3. __Nosotros podemos tomar el autobús.__

4. __Nosotros jugamos al fútbol después de las clases.__

5. __Nosotros jugamos con el equipo de la escuela.__

6. __Nosotros volvemos a casa a las cinco y media o a las seis.__

7. __Nosotros dormimos muy bien después de jugar mucho.__

G **Frases originales** Make up sentences by combining the words in each of the following columns.

1. __Answers will vary but may include the following: Yo quiero jugar al fútbol.__

2. __Nosotros preferimos ganar.__

3. __Ellos empiezan a perder.__

4. __Yo puedo lanzar el balón.__

5. __Nosotros preferimos batear.__

6. __Ellos tienen que volver al campo.__

Interesar, aburrir y gustar

H. **Intereses y gustos** Complete each word.

1. Me gust___a___ la carne pero no me gust___an___ el pescado y el marisco.

2. Me gust___an___ las frutas pero no me gust___an___ los vegetales.

3. ¿Qué tal te gust___a___ la hamburguesa?

4. Mucho. Pero no me gust___an___ las papas fritas.

5. ¿Te interes___a___ un postre?

I. **Intereses** Write five things that interest you.

1. ___*Answers will vary.*_____

2. _____

3. _____

4. _____

5. _____

J. **Cosas aburridas** Write five things that bore you.

1. ___*Answers will vary.*_____

2. _____

3. _____

4. _____

5. _____

K. **Gustos** Write five things that you like.

1. ___*Answers will vary.*_____

2. _____

3. _____

4. _____

5. _____

L **No me gusta.** Write five things that you do not like.

1. _*Answers will vary.*_____

2. _____

3. _____

4. _____

5. _____

M **Conversación** Complete the following conversation.

—Jorge, ¿ __te__ gusta la historia?
      1

—Sí, __me__ gusta mucho. Es el curso que más __me__ interesa.
      2   **3**

—¿Sí? __Me__ sorprende. La historia __me__ aburre un poco.
      4   **5**

—Paco, es increíble. La historia antigua __me__ fascina: la historia de Roma, de Grecia, de
                                          6
Egipto.

—Pues, __me__ gustan más las ciencias y las matemáticas.
       7

Un poco más

A.   Un partido Look at the admission ticket to a *Copa Libertadores* game.

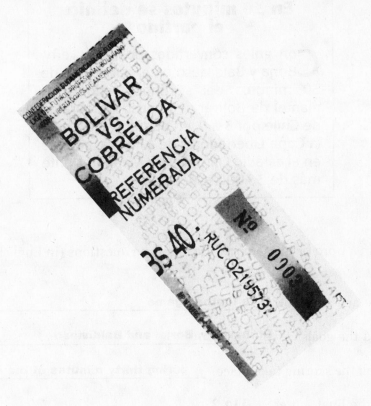

B.   ¿Sí o no? Indicate whether each statement is true or false according to the ticket in Activity A. If it is false correct it.

1. El boleto es para un partido de tenis.

   <u>**No. Es para un partido de fútbol.**</u>

2. Cobreloa es un equipo de fútbol.

   <u>**Sí.**</u>

3. Cobreloa juega contra Libertadores.

   <u>**No. Cobreloa juega contra Bolívar.**</u>

4. Es un boleto para la Copa mundial.

   <u>**No. Es un boleto para la Copa Libertadores de América.**</u>

C **Un partido de fútbol** Read the following article about a game played in La Paz, Bolivia. The article appeared in the Bolivian newspaper *El Diario*.

En 30 minutos se definió el partido

Con goles convertidos por Etcheverry, Borja y Baldivieso en el transcurso de 30 minutos del segundo período, el plantel de Bolívar se impuso a Cobreloa de Chile por 3 a 0, en partido válido para la Copa Libertadores de América, anoche en el estadio Olímpico de Miraflores ante más de 36.000 espectadores.

D **Preguntas** In a word or two, answer the following questions (in English) about the article in Activity C.

1. What is the article about? __a football game__

2. Who scored the goals? __Etcheverry, Borja, and Baldivieso__

3. When did all the scoring take place? __during thirty minutes of the second period__

4. What was the final score? __3 to 0__

E **Información** Find the following information in the article in Activity C.

1. el nombre del estadio __el estadio Olímpico de Miraflores__

2. el país que Cobreloa representa __Chile__

3. el número de espectadores en el estadio __36.000__

F. **El tenis** Read the following article that appeared in the magazine *Vanidades*.

El origen del tenis

La palabra «tenis» — aplicada al popular deporte — viene del árabe «tenetz», una adaptación de la palabra «tenez» que significa «saltar». Y la palabra «raqueta» viene también del árabe, ya que "rahet" significa "en la palma de la mano" y cuando el deporte se inició, los jugadores le daban a la pelota usando la palma de la mano en vez de utilizar una raqueta, como en nuestros días.

G. **Preguntas** In a a word or two, answer the following questions about the article in Activity A.

1. ¿Qué es el tenis?

   un deporte

2. ¿De qué lengua viene la palabra «tenis»?

   del árabe

3. ¿Viene la palabra "raqueta" de la misma lengua?

   Sí

4. Hoy, ¿usan los tenistas la palma de la mano para darle a la pelota?

   No

5. En vez de usar la palma de la mano, ¿qué usan o utilizan?

   Usan una raqueta.

Mi autobiografía

Write as much as you can about the sports teams at your school. Do you participate in any team sports? Do you prefer to participate or to be a spectator? If you are not fond of sports, write about some of your other activities.

Mi autobiografía

Nombre _____ Fecha _____

SELF-TEST 2

A Identify each of the following.

1. _____ **el mercado** _____

2. _____ **las zanahorias** _____

3. _____ **la carne** _____

4. **el mesero (el camarero)**

5. _____ **el menú** _____

6. _____ **la fiesta** _____

7. _____ **el jardín** _____

8. _____ **el partido de fútbol**

9. **el cesto (la canasta)**

WORKBOOK
Copyright © Glencoe/McGraw-Hill

¡Buen viaje! Level 1 Self-Test 2 ～ **83**

B Complete each sentence with the appropriate word(s).

1. Dos cuartos de una casa son _____**la cocina**_____ y _____**el comedor (la sala, la recámara, el baño)**_____ .

2. La familia vive en una _____**casa**_____ particular, no en un apartamento.

3. Ellos viven en la _____**calle**_____ Main.

4. María _____**come**_____ un sándwich y _____**bebe**_____ una limonada.

5. Yo leo el _____**periódico (libro)**_____ y escribo con un _____**bolígrafo (lápiz)**_____ .

6. Alrededor de la casa hay un _____**jardín**_____ .

7. Yo tengo una bicicleta y mis padres tienen un _____**carro (coche)**_____ en el garaje.

8. El fútbol y el béisbol son _____**deportes**_____ .

9. Juegan al fútbol en el _____**campo**_____ de fútbol.

10. Si el _____**portero**_____ no puede parar el balón y el balón entra en la portería, el

   otro _____**equipo**_____ mete un gol y marca un _____**tanto**_____ .

C Complete each sentence with the correct form of the verb in parentheses.

1. Yo _____**veo**_____ la televisión en la sala. (ver)

2. Nosotros _____**comemos**_____ en el comedor. (comer)

3. Nosotros _____**vivimos**_____ en una casa particular. (vivir)

4. Yo _____**recibo**_____ notas muy buenas en la escuela. (recibir)

5. Ellos _____**leen**_____ mucho. (leer)

6. Yo _____**tengo**_____ una familia grande. (tener)

7. Nosotros _____**tenemos**_____ un perro. (tener)

8. Mi tía _____**tiene**_____ tres hijos. (tener)

9. Yo _____**prefiero**_____ jugar con ellos. (preferir)

10. El portero no _____**puede**_____ bloquear el balón. (poder)

11. Ellos _____**duermen**_____ bien después de un partido. (dormir)

12. Nosotros _____**queremos**_____ ganar el partido. (querer)

D. Rewrite each sentence, changing the singular to the plural or vice versa.

1. Yo empiezo ahora.

   Nosotros ___**empezamos ahora**_____.

2. Él quiere lanzar la pelota.

   Ellos ___**quieren lanzar la pelota**_____.

3. ¿Tú puedes?

   ¿Uds. ___**pueden**_____?

4. Ellos juegan bien.

   Él ___**juega bien**_____.

5. Yo vuelvo ahora.

   Nosotros ___**volvemos ahora**_____.

6. Yo prefiero comer ahora.

   Nosotros ___**preferimos comer ahora**_____.

7. Ellas duermen ocho horas.

   Ella ___**duerme ocho horas**_____.

E. Complete each sentence with the correct form of the possessive adjective(s).

1. Yo tengo una hermana. _____**Mi**_____ hermana tiene once años.

2. El libro es de Juan. _____**Su**_____ libro es muy interesante.

3. Nosotros vivimos en los suburbios. ___**Nuestra**___ casa tiene un jardín.

4. Mi tío es muy simpático. _____**Sus**_____ hijos son _____**mis**_____ primos.

5. Si vas a jugar al béisbol, ¿tienes _____**tu**_____ bate y _____**tu**_____ guante?

WORKBOOK
Copyright © Glencoe/McGraw-Hill

¡Buen viaje! Level 1 Self-Test 2 ⟡ **85**

F Complete each sentence with **tener que** or **ir a.**

1. En el juego de béisbol, el pícher _____**tiene que**_____ lanzar la pelota al bateador.

2. Yo _____**tengo que**_____ estudiar mucho si quiero recibir buenas notas.

3. Mañana nosotros _____**vamos a**_____ tener un examen. Nosotros

   _____**vamos a (tenemos que)**_____ estudiar para el examen.

4. Elena y Paco _____**tienen que (van a)**_____ ir a la tienda de discos. Ellos

   _____**van a (tienen que)**_____ comprar un regalo para su prima, Teresa. Teresa

   _____**va a**_____ cumplir los quince años el martes.

G Tell whether each statement is true or false. Write **sí** or **no.**

__**sí**__ 1. En los países hispanos los jóvenes van a un café con sus amigos.

__**no**__ 2. Venden productos congelados en un mercado al aire libre.

__**no**__ 3. En los países hispanos dan una fiesta en honor de un muchacho que cumple los quince años.

__**no**__ 4. Cuando un joven hispano habla de su familia, sólo habla de sus padres y sus hermanos.

__**sí**__ 5. En Latinoamérica hay muchos equipos nacionales de fútbol. Por ejemplo, el Perú tiene su equipo, la Argentina tiene su equipo, etc.

CAPÍTULO 8

La salud y el médico

Vocabulario

PALABRAS 1

A   **¿Cómo está la persona?** Describe each person's condition according to the illustration.

1. _____ **Está cansado.** _____

2. _____ **Está contenta.** _____

3. _____ **Está nervioso.** _____

4. _____ **Está enferma.** _____

B **De otra manera** Express each of the following in a different way.

1. Ella *tiene catarro.*

 ___Ella está resfriada._____

2. Él *tose mucho.*

 ___Él tiene tos._____

3. Tiene *la temperatura elevada.*

 ___Tiene fiebre._____

4. *Me duele* la cabeza.

 ___Tengo dolor de cabeza._____

5. *Me duele* el estómago.

 ___Tengo dolor de estómago._____

6. Estoy *melancólico.*

 ___Estoy triste._____

7. El enfermo tiene que *pasar mucho tiempo en cama.*

 ___El enfermo tiene que guardar cama._____

C **Síntomas** Decide what the illness is.

	la gripe	un catarro	los dos
1. Está estornudando mucho.		✔	
2. Tiene fiebre.	✔		
3. Tiene dolor de cabeza.			✔
4. Tiene tos.			✔
5. Tiene escalofríos.	✔		

Vocabulario

D. **¡Cuánto me duele!** Tell where it hurts according to the illustration.

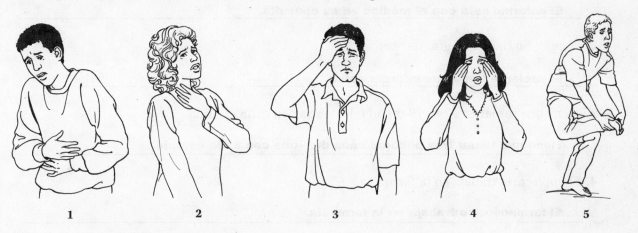

| 1 | 2 | 3 | 4 | 5 |

1. ___**Me duele el estómago.**_____

2. ___**Me duele la garganta.**_____

3. ___**Me duele la cabeza.**_____

4. ___**Me duelen los ojos.**_____

5. ___**Me duele el pie.**_____

E. **La medicina** Complete each sentence with the appropriate word(s).

1. El médico examina a sus pacientes en el _____**consultorio**_____ o en la

   _____**consulta**_____.

2. Yo abro la boca cuando el médico me examina la _____**garganta**_____.

3. El médico me da una _____**receta**_____ para antibióticos.

4. Cada día tengo que tomar mis medicamentos: tres _____**píldoras**_____ o

   _____**pastillas**_____.

5. El farmacéutico trabaja en la _____**farmacia**_____.

6. El farmacéutico o la farmacéutica _____**despacha (vende)**_____ los medicamentos.

F **De otra manera** Express each of the following in a different way.

1. El enfermo está con el médico en su *consultorio*.

<u>El enfermo está con el médico en su consulta.</u>

2. *El enfermo* tiene que guardar cama.

<u>El paciente tiene que guardar cama.</u>

3. Tiene que tomar tres *pastillas* cada día—una con cada comida.

<u>Tiene que tomar tres píldoras cada día—una con cada comida.</u>

4. El *apotecario* trabaja en la farmacia.

<u>El farmacéutico trabaja en la farmacia.</u>

5. La farmacéutica *vende* los medicamentos.

<u>La farmacéutica despacha los medicamentos.</u>

G **La salud** Complete each sentence with the appropriate word.

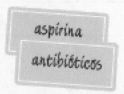

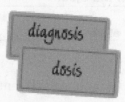

1. Estornudo mucho porque tengo una _____ alergia _____ a los gatos.

2. Pablo tiene dolor de cabeza. Tiene que tomar _____ aspirina _____.

3. El médico me receta unos _____ antibióticos _____ porque tengo la gripe.

4. Elena está enferma. Tiene muchas _____ síntomas _____: estornuda, tiene tos, tiene fiebre y escalofríos y también tiene dolor de garganta.

5. La _____ dosis _____ es tres píldoras cada día.

6. Según el médico, la _____ diagnosis _____ es la gripe asiática.

Estructura

Ser y estar

A **¿Cómo es o cómo está?** Write sentences, using words from each column.

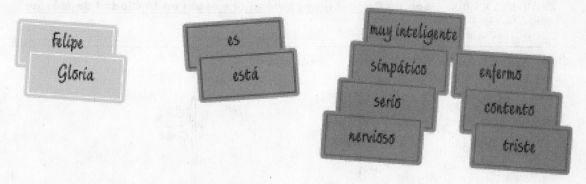

1. ___**Felipe (Gloria) es muy inteligente.**_____

2. ___**Felipe (Gloria) es simpático(a).**_____

3. ___**Felipe (Gloria) está enfermo(a).**_____

4. ___**Felipe (Gloria) está contento(a).**_____

5. ___**Felipe (Gloria) es serio(a).**_____

6. ___**Felipe (Gloria) está nervioso(a).**_____

7. ___**Felipe (Gloria) está triste.**_____

B **¿De dónde es? ¿Dónde está?** Look at the maps. The first map tells where the person is from. The second map tells where the person is right now. Write a sentence telling where the person is from and where he/she is now. Use **ser** and **estar**.

1. Yo ___**soy de los Estados Unidos, pero ahora estoy en España.**_____

_____

2. Alberto y Lola __son de Guadalajara, pero ahora están en la Ciudad de México.__

_____

3. Isabel ___es de Colombia pero ahora está en Chile.___

_____

4. Nosotros ___somos de Quito, pero ahora estamos en San Juan (Puerto Rico).___

_____

C **¿Y tú?** Give your own answers.

1. ¿De dónde eres? ¿Dónde estás ahora?

___Answers will vary.___

_____

_____

2. Tu mamá o tu papá, ¿de dónde es? ¿Dónde está ahora?

_____

_____

_____

D. **La médica** Complete with the correct forms of **ser** or **estar**.

La médica _____**es**_____ muy inteligente. Ella _____**es**_____ de Nicaragua.
                    1   2

_____**Es**_____ nicaragüense. Ella _____**es**_____ especialista en cirugía.
        3   4

_____**Es**_____ cirujana. Muchos de sus pacientes _____**están**_____ muy
        5   6

enfermos. Pero la doctora García _____**es**_____ muy simpática. Ella
                                          7

_____**es**_____ muy amable con sus pacientes. Su consultorio _____**está**_____
        8   9

en el hospital mismo. _____**Está**_____ en la planta baja del hospital. La sala de
                              10

operaciones _____**está**_____ en el mismo edificio que su consultorio.
                    11

Me, te, nos

E. **Al médico** Answer the following questions.

1. Si estás enfermo(a), ¿te examina el médico?

_____**Sí, si estoy enfermo(a), el médico me examina.**_____

2. ¿Te da la diagnosis?

_____**Sí, me da la diagnosis.**_____

3. Si tienes dolor de garganta, ¿te receta unas pastillas el médico?

_____**Sí, si tengo dolor de garganta, el médico me receta unas pastillas.**_____

4. Carlos, ¿me va a dar una inyección el médico?

_____**Sí (No, no) te va a dar una inyección.**_____

F. **En la consulta del médico** Complete the conversation.

—José, ¿dónde __**te**__ duele?
                      1

—Ay, doctor. __**Me**__ duele en todas partes. __**Me**__ duele la cabeza, __**me**__ duele la garganta.
                    2   3   4

—Muy bien, José. __**Te**__ voy a examinar. ¿ __**Me**__ permites?
                        5   6

Un poco más

A **Ejercicios** Read the directions for some exercises that will relieve stress.

Ejercicios contra el estrés

1 Sentada en el suelo, con las piernas cruzadas y la espalda recta, lleva los brazos atrás con las manos unidas y estíralos diez veces.

2 En cuclillas, con las manos apoyadas sobre el suelo, lleva una pierna hacia atrás. Cambia de pierna diez veces.

3 Sentada, pon una pierna recta y la otra flexionada por encima. Cmabia diez veces de pierna.

B **Expresiones** Read the directions again and look for the Spanish equivalents of the following expressions.

1. seated on the floor __sentada en el suelo__

2. back straight __la espalda recta__

3. squatting __en cuclillas__

4. legs crossed __con las piernas cruzadas__

5. hands on the floor __con las manos apoyadas sobre el suelo__

6. one leg straight and the other bent __una pierna recta y la otra flexionada__

C **Ahora en inglés** Rewrite the directions for the exercises in Activity A in English.

1. __Sitting on the floor with legs crossed and back straight, grasp your hands behind__ __your back and stretch ten times.__

2. __Squatting, support yourself with hands on the floor and stretch out one leg behind__ __you. Change legs and repeat ten times.__

3. __Sit on the floor, stretch out one leg in front of you and cross the other over it.__ __Alternate legs ten times.__

Nombre _____ Fecha _____

D. **La Asociación Betel** Read the flyer prepared by Asociación Betel, an organization that helps people in need. To understand the flyer it is necessary to know the meaning of the word **muebles: Las sillas, las mesas y las camas son muebles.**

E. **A escoger** Choose the correct completion for each sentence.

1. El rastro es ___b___ .

   a. un mercado grande donde venden artículos nuevos a precios altos
   b. un mercado donde venden cosas viejas y usadas a precios muy bajos
   c. una tienda elegante

2. Los marginados son ___b___ .

   a. personas que restauran muebles
   b. personas con problemas sociales que necesitan ayuda o rehabilitación
   c. personas que trabajan con la Asociación Betel

F. **Preguntas** Answer according to the information in the flyer in Activity D.

1. ¿Qué vende la Asociación Betel en el rastro Betel? __**Vende muebles de todo tipo,**__

   __**electrodomésticos, antigüedades, coches usados, ropa usada.**__

2. ¿A quiénes ayuda y rehabilita la Asociación Betel? __**Ayuda y rehabilita a las personas**__

   __**que están dejando la droga y a otros marginados.**__

G   **Devoradores de pescado** Read the following chart.

Devoradores de pescado
España es el cuarto país del mundo en consumo de pescado, por detrás de Islandia, Japón y Portugal.

PESCADO EN LA DIETA (KILOS POR PERSONA Y AÑO)

ISLANDIA	138
JAPÓN	75
PORTUGAL	49
ESPAÑA	39
FRANCIA	31
GRECIA	28
SUECIA	28
ESTADOS UNIDOS	22
ITALIA	21
ALEMANIA	20
REINO UNIDO	19
IRLANDA	17
HOLANDA	10

H   **Buscando informes** Answer according to the information in the chart in Activity G.

1. Es bueno para la salud comer mucho pescado y poca carne roja. ¿Cuántos kilos de

   pescado come un español en un año? _____ **39** _____

2. ¿En cuántos países consumen más (+) pescado que en España? _____ **3** _____

3. ¿En cuántos países consumen menos (-) pescado que en España? _____ **9** _____

4. ¿Cuántos kilos de pescado consume en un año un individuo en los Estados Unidos?

   _____ **22** _____

Nombre _____ Fecha _____

I. **Una notificación** Read the following notice.

El Dr. Enrique Segura
Tiene el placer de notificarles a sus
pacientes, colegas y amigos el
traslado de su práctica de
Obstetricia y Ginecología a la

Suite 408
Edificio Arturo Cadilla
Hospital San Pablo
Tels. 740-8116 - 787-1060

J. **Preguntas** Answer according to the information in the notice in Activity I.

1. ¿Quién es el médico?

   el Doctor Enrique Segura

2. ¿Para quiénes es la notificación?

   para sus pacientes, colegas y amigos

3. ¿Dónde está su nuevo consultorio?

   Suite 408, Edificio Arturo Cadilla

4. ¿En qué hospital trabaja el médico?

   en el Hospital San Pablo

Mi autobiografía

Tell some things about yourself. What makes you happy? What makes you sad? What do you do when you don't feel well? What is the name of your family doctor? Write about some of the minor ailments you get once in a while. Are you a good patient or not? You may want to ask a family member for an opinion.

Mi autobiografía

CAPÍTULO 9

El verano y el invierno

Vocabulario PALABRAS 1

A **¿Qué es?** Identify each item.

1. **el mar** _____

2. **la playa** _____

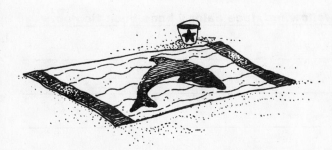

3. **la toalla playera** _____

4. **el traje de baño (el bañador)** _____

5. los anteojos (las gafas) de sol _____ **6.** la piscina (la alberca) _____

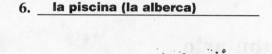

7. el surfing (la tabla hawaiana) _____ **8.** el esquí acuático _____

B **El verano** Answer with as complete a description as possible.

¿Qué tiempo hace en el verano?

Answers will vary but may include the following: **Hace calor y hace buen tiempo.**

Hace (Hay) sol. El sol brilla en el cielo.

_____

_____

_____

_____

_____

_____

Nombre _____ Fecha _____

C **En la playa** Match the activity with the illustration.

a

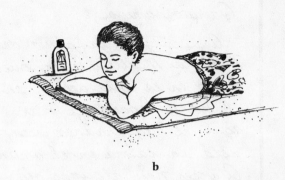

b

c

d

e

f

1. __f__ nadar

2. __e__ bucear

3. __a__ practicar la plancha de vela

4. __d__ esquiar en el agua

5. __b__ tomar el sol

6. __c__ practicar la tabla hawaiana

D   **Una tarjeta postal**   Read Eduardo's postcard. Then answer the questions that follow.

> Queridos amigos,
>
>   Aquí estoy en la playa de Marbella. Marbella es un pueblo bonito en la Costa del Sol, en el sur de España. El mar aquí, el Mediterráneo, siempre está en calma en el verano. A veces hay algunas olas pequeñas. Todos los días hace buen tiempo. Siempre uso una crema protectora. ¡Qué contento estoy aquí!
>
>   Saludos, Eduardo

La Familia Salas
Calle Sol, No. 4
San Juan, PR
        00926

1. ¿Dónde está Eduardo?

Está en la playa de Marbella.

2. ¿Dónde está Marbella?

Marbella está en la Costa del Sol, en el sur de España.

3. ¿Marbella está en la Costa del Sol?

Sí, está en la Costa del Sol.

4. ¿Cómo está el mar Mediterráneo, sobre todo en el verano?

Siempre está en calma, sobre todo en el verano.

5. A veces, ¿qué hay en el mar?

A veces, hay algunas olas pequeñas.

6. ¿Qué usa Eduardo?

Usa una crema protectora.

7. ¿Dónde pone su silla Eduardo?

Pone su silla en la arena.

Vocabulario

E   **El tenis** Complete the paragraph according to the illustration.

Cada jugador de tenis tiene su _____**raqueta**_____ . Juegan _____**singles**_____ ,

                                     1   2

no _____**dobles**_____ . Juegan en una _____**cancha al aire libre**_____ , no cubierta.

                           3   4

Cuando juegan tenis la _____**pelota**_____ tiene que pasar por encima de la

                                         5

_____**red**_____ .

                 6

F   **Para esquiar** Write down some things you would have to get before going skiing.

     Answers will vary but may include the following: **los esquís, los bastones,**

     los guantes, las botas, un anorak.

_____

_____

_____

Nombre _____ Fecha _____

G **A esquiar en el invierno** Complete each sentence with the appropriate word(s).

1. Los esquiadores suben la montaña en **el telesquí (el telesilla)**.

2. Compran los _____**boletos (tickets)**_____ para **el telesquí (el telesilla)** en la ventanilla o

_____**boletería**_____.

3. José bajó la _____**pista**_____ para expertos.

4. Si uno va a esquiar, necesita _____**esquís**_____, _____**guantes**_____ y

_____**bastones**_____.

5. En el invierno hace _____**frío**_____.

6. A veces, la temperatura _____**baja**_____ a cinco grados bajo cero.

H **El invierno** Answer with as complete a description as possible.

¿Qué tiempo hace en el invierno?

_____*Answers will vary but may include the following:* **En el invierno hace frío. Hace mal**_____

_____**tiempo. Nieva. Hay mucha nieve. Algunas veces, la temperatura baja a cinco grados**_____

_____**bajo cero.**_____

_____

_____

I **Palabras derivadas** Match each verb in the left-hand column with the corresponding noun in the right-hand column.

1. __d__ subir   **a.** el esquí

2. __c__ bajar   **b.** la nieve, la nevada

3. __e__ descender   **c.** la bajada

4. __a__ esquiar   **d.** la subida

5. __b__ nevar   **e.** el descenso

Estructura

Pretérito de los verbos en -ar

A. **El verano** Complete each sentence with the correct preterite forms of the verb in parentheses.

1. Él _____**esquió**_____ en el mar y yo _____**esquié**_____ en el lago. (esquiar)

2. Ella _____**nadó**_____ en el lago y yo _____**nadé**_____ en la piscina. (nadar)

3. Él _____**usó**_____ una crema protectora y yo _____**usé**_____ una crema protectora también. (usar)

B. **De compras** Complete with the correct preterite forms of the verbs in parentheses.

—¿Qué _____**compraste**_____ tú? (comprar)
                       1

—_____**Compré**_____ una raqueta. (Comprar)
          2

—¿Dónde la _____**compraste**_____? (comprar)
                     3

—La _____**compré**_____ en una tienda en el centro comercial. (comprar)
            4

—¿Cuánto _____**pagaste**_____? (pagar)
                 5

—_____**Pagué**_____ cinco mil pesos. (Pagar)
        6

C. **Una visita al museo** Rewrite each sentence in the plural.

1. Visitó el museo del Prado.

   Visitaron el museo del Prado. _____

2. Compró billetes reducidos para estudiantes.

   Compraron billetes reducidos para estudiantes. _____

3. Entró en el museo.

   Entraron en el museo. _____

4. Miró los cuadros de Goya, Velázquez y El Greco. Admiró *Las Meninas* de Velázquez.

   Miraron los cuadros de Goya, Velázquez y El Greco. Admiraron *Las Meninas* de
   Velázquez.

5. Pasó unas tres horas en el museo.

   Pasaron unas tres horas en el museo. _____

D. **¿Y Uds.?** Complete each sentence with the correct form of the verb in parentheses.

1. (llegar)

Ayer nosotros _____**llegamos**_____ a la escuela a las ocho.

¿A qué hora _____**llegaron**_____ Uds.?

2. (hablar)

Ayer nosotros _____**hablamos**_____ con la profesora de español.

¿Con quién _____**hablaron**_____ Uds.?

3. (tomar)

Nosotros _____**tomamos**_____ un examen.

¿En qué clase lo _____**tomaron**_____ Uds.?

4. (tomar)

Nosotros _____**tomamos**_____ el almuerzo en la cafetería.

¿Dónde lo _____**tomaron**_____ Uds.?

5. (jugar)

Después de las clases, nosotros _____**jugamos**_____ al tenis.

¿Cuándo _____**jugaron**_____ Uds.?

6. (pagar)

Nosotros _____**pagamos**_____ 150 pesos por los boletos.

¿Cuánto _____**pagaron**_____ Uds.?

E **Un día en la playa de Marbella** Complete each sentence with the correct preterite verb ending.

1. Anita tom__**ó**__ el sol.

2. José Luis nad__**ó**__.

3. Yo esqui__**é**__ en el agua.

4. Maripaz y Nando buce__**aron**__.

5. Y luego todos nosotros tom__**amos**__ un refresco en un café.

6. Yo tom__**é**__ una limonada.

7. Anita tom__**ó**__ un helado.

8. ¿Y quién pag__**ó**__? Anita pag__**ó**__.

9. Y tú, ¿pas__**aste**__ el día en la playa con tus amigos?

10. ¿No? ¿Uds. no pas__**aron**__ el día en la playa? ¡Qué pena!

F **¡Cuidado!** Complete each sentence with the correct preterite forms of the verb in parentheses.

1. Yo _____**toqué**_____ la guitarra y él la _____**tocó**_____ también. (tocar)

2. Yo _____**jugué**_____ y ella _____**jugó**_____ también. (jugar)

3. Yo _____**llegué**_____ y él _____**llegó**_____ a la misma hora. (llegar)

4. Yo _____**marqué**_____ un tanto y ella _____**marcó**_____ otro. (marcar)

5. Yo _____**pagué**_____ y ella _____**pagó**_____ también. (pagar)

6. Yo _____**empecé**_____ a las ocho y él _____**empezó**_____ a las nueve. (empezar)

7. Yo _____**busqué**_____ una mesa libre y él _____**buscó**_____ una mesa libre. (buscar)

Pronombres—lo, la, los, las

G   **La playa** Rewrite each sentence, substituting **lo, la, los,** or **las** for the indicated direct object.

1. Teresa compró *la crema protectora.*

    Teresa la compró.

2. Ella usó *la crema protectora* en la playa.

    Ella la usó en la playa.

3. Carlos tiene un nuevo bañador. Él compró *el bañador* ayer.

    Carlos tiene un nuevo bañador. Él lo compró ayer.

4. Los amigos de Carlos y Teresa pasaron un día muy agradable. Pasaron *el día* en la playa.

    Los amigos de Carlos y Teresa pasaron un día muy agradable. Lo pasaron en la playa.

5. Ellos esquiaron en el agua. Compraron *los esquís* en una tienda cerca de la playa.

    Ellos esquiaron en el agua. Los compraron en una tienda cerca de la playa.

6. Rafael usa anteojos de sol. Compró *los anteojos de sol* ayer.

    Rafael usa anteojos de sol. Los compró ayer.

7. Yo tomé fotos instantáneas. Tomé *las fotos* en la playa.

    Yo tomé fotos instantáneas. Las tomé en la playa.

8. Carmen miró *las fotos.*

    Carmen las miró.

H. **¿Adónde vas?** Answer each question. Use object pronouns when possible.

1. ¿Tienes la raqueta? __Sí, la tengo.__

   ¿Adónde vas? __Voy a la cancha de tenis. (Voy a jugar al tenis.)__

2. ¿Tienes la plancha de vela? __Sí, la tengo.__

   ¿Adónde vas? __Voy a la playa.__

3. ¿Tienes tu bañador? __Sí, lo tengo.__

   ¿Tienes los esquís acuáticos? __Sí, los tengo.__

   ¿Qué vas a practicar? __Voy a practicar el esquí acuático.__

4. ¿Tienes la pelota? __Sí, la tengo.__

   ¿Tienes el bate? __Sí, lo tengo.__

   ¿Tienes el guante? __Sí, lo tengo.__

   ¿A qué vas a jugar? __Voy a jugar al béisbol.__

5. ¿Tienes los esquís? __Sí, los tengo.__

   ¿Tienes los bastones? __Sí, los tengo.__

   ¿Tienes tus guantes? __Sí, los tengo.__

   ¿Tienes tus botas? __Sí, las tengo.__

   ¿Adónde vas? __Voy a la estación de esquí. (Voy a esquiar.)__

Ir y ser en el pretérito

1. **¡Ayer!** Complete each sentence with the correct preterite forms of **ir.**

1. Yo _____**fui**_____ a la escuela y él también _____**fue**_____ .

2. Yo _____**fui**_____ al mercado y él también _____**fue**_____ .

3. Yo _____**fui**_____ a la playa y él también _____**fue**_____ .

4. Yo _____**fui**_____ al lago y él también _____**fue**_____ .

5. Nosotros _____**fuimos**_____ a la piscina y ellos también _____**fueron**_____ .

6. Nosotros _____**fuimos**_____ al campo de fútbol y ellos también

   _____**fueron**_____ .

7. Nosotros _____**fuimos**_____ a esquiar y ellos también _____**fueron**_____ .

Nombre _____ Fecha _____

Un poco más

A   **Deportes de invierno** Read the following information about winter sports that appeared in an educational journal published by the **Embajada de España.**

DEPORTES DE INVIERNO

Con el invierno llegan los deportes del frío. Es la época propicia para practicar las distintas variedades de esquí: alpino, nórdico, en monopatín, así como las carreras de trineos, el patinaje sobre hielo, el biatlón, el bob-sled...
Los Pirineos es una de las zonas de España donde mejor se pueden practicar todos estos deportes.

Blanca Fernández Ochoa ha sido la mejor esquiadora española de los últimos tiempos. Fue medalla de bronce en las últimas olimpiadas de Albertville.

El Biatlón es un nuevo deporte olímpico que combina el esquí y el tiro.

El esquí-alpinismo
Con una técnica específica es posible subir las pendientes más difíciles para luego realizar el descenso sobre nieve fresca o hielo.

El surf de nieve
Para practicarlo necesitas una tabla y un casco, rodilleras...
Hay dos modalidades: las carreras y las exhibiciones.

Las _carreras de trineos_
El éxito de este deporte depende de la compenetración entre los perros y el deportista. Doce perros tiran del trineo.

El bob-sled es un deporte de gran emoción. Destreza en la conducción y una buena dosis de valor son los dos ingredientes básicos para su práctica.

Patinaje sobre hielo
Con unos patines de hielo puedes hacer maravillas: desde montar una coreografía con tu melodía favorita, hasta competir con tus amigos para ver quien es el más rápido sobre las cuchillas.

B   **Expresiones** Find the Spanish equivalent for the following in the article about winter sports.

1. bronze medal   **medalla de bronce**

2. downhill skiing   **el esquí alpino**

3. cross-country skiing   **el esquí nórdico**

4. helmet   **un casco**

5. knee pads   **rodilleras**

6. blades   **las cuchillas**

7. snowboarding   **el surf de nieve**

C **El buceo** Read this ad about snorkeling lessons.

Cursos de Buceo

SI TODAVIA NO ERES BUCEADOR, AHORA ES EL MOMENTO DE COMENZAR ESTA AVENTURA

- Cursos de Buceo con titulación internacional de **S.S.I.**

- Todo el material, equipamiento, tramitaciones, etc., necesario para el curso esta incluido en nuestro precio.

- Grupos reducidos.

- Diversas posibilidades para que puedas elegir la que mejor se ajuste a tus necesidades.

- Nuestros cursos destacan por el número de inmersiones que realizas en ellos.

DURANTE TODO EL AÑO impartimos curso en nuestro Centro de Buceo. Duración una semana.

DURANTE LOS PUENTES DE SEMANA SANTA Y MAYO, cursos intensivos en la Costa.

CURSOS EN MADRID. Si no puedes desplazarte a la Costa, ahora te ofrecemos el curso impartido en Madrid, en horario totalmente flexible, para que puedas compatibilizarlo con tu trabajo o estudios.

INFORMATE Y RESERVA TU PLAZA

CENTRO DE BUCEO DARDANUS

CASTELL DE FERRO (Granada)
Teléfonos: 958/656008 y 908/625822

EN MADRID
Teléfonos: 91/5173212 y 909/167559

D **Información** Answer the questions according to the information in the ad in Activity C.

1. ¿Cuándo dan los cursos de buceo?

   Dan los cursos durante todo el año. _____

2. ¿Cuánto tiempo dura un curso?

   Dura una semana. _____

3. ¿Son grandes o pequeños los grupos que forman una clase?

   Son pequeños. _____

4. ¿Cuándo hay cursos en la Costa?

   Hay cursos en la Costa durante los puentes de Semana Santa y Mayo. _____

E **¿Sí o no?** Indicate whether the following statements are true or false according to the information in the ad in Activity C. Write **sí** or **no**.

1. __**no**__ Hay muchas personas en cada grupo o clase.

2. __**no**__ Es necesario ir a la Costa para tomar el curso.

3. __**sí**__ El centro de Buceo Dardanus permite a los estudiantes tener muchas inmersiones.

4. __**no**__ Dan cursos sólo en mayo.

5. __**sí**__ Todo lo que uno necesita para bucear esta incluido en el precio.

6. __**sí**__ Las horas de los cursos son flexibles.

F **El puente** Read about a special use of the word **puente**.

In the ad for the Centro de Buceo Dardanus the word **puente** is used.

DURANTE LOS PUENTES DE SEMANA SANTA Y MAYO

This is a special use of the word puente. **Un puente** is a bridge.
   Un puente famoso en la Ciudad de Nueva York es el puente Wáshington.
   Un puente famoso de San Francisco es el puente Golden Gate.
Semana Santa and **Mayo** are two holidays in Spain that come close to one another. People will often take time off between the two close holidays to go on a short vacation. This time between the holidays is referred to as **un puente**.
   The word **puente** is also used to mean "shuttle." For example, **el puente aéreo** is the air shuttle for flights that operate every hour between Madrid and Barcelona or Buenos Aires and Montevideo.

G   **Doriance** Read the following ad.

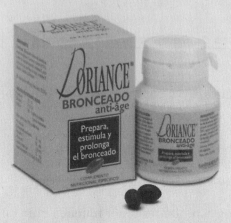

Prepara, estimula y prolonga el bronceado.

▶ **DORIANCE** es un complemento nutricional innovador que ayuda a obtener un bonito tono dorado de la piel.

▶ **DORIANCE**, aporta al organismo una serie de sustancias naturales que facilitan el proceso natural del bronceado de la piel, pero que no protegen por sí mismas de la acción nociva de los rayos UV solares. **DORIANCE** no es un cosmético, por ello, es recomendable que la exposición al sol se realice de forma gradual y empleando una crema solar adecuada a cada tipo de piel.

▶ **DORIANCE** es muy rico en beta-caroteno y otros carotenoides naturales extraídos de un alga marina, la Dunaliella salina. El beta-caroteno (presente, por ejemplo, también en las zanahorias, tomates y otras frutas) estimula el proceso natural de pigmentación de la piel tras la exposición al sol y tiene además un efecto antioxidante.

▶ **DORIANCE** contiene también Vitaminas C y E que refuerzan las propiedades protectoras y anti-âge del beta-caroteno, así como Aceite de Borraja, rico en ácidos grasos esenciales.

▶ **DORIANCE** es adecuado para todo tipo de piel y, particularmente, para las pieles sensibles al sol que broncean con dificultad.

Complemento nutricional específico

Alga Dunaliella salina

H   **Una pregunta** According to the ad in Activity G there are several benefits to using Doriance. What are they? You may write your answers in English.

**Answers will vary but may include the following:** Doriance helps you get a beautiful

tan. It prepares, stimulates, and prolongs your tan while protecting your skin from

UV rays. It contains beta-carotene and vitamins C and E, which reinforce its

antiaging properties. It's recommended for all skin types, especially sensitive skin.

_____

_____

_____

_____

1. **¡A esquiar!** Read the following advertisement from an Argentine newspaper. In a word or two, answer each question according to the ad.

1. What is the name of the travel agency?

   Cavaliere

2. How many types of excursions does the travel agency offer?

   4

3. Is it necessary to have one's own equipment in order to book a trip?

   no

4. Are there trips for beginners as well as experts?

   yes

5. Is there only one departure each week?

   no

6. How many departures are there each week?

   4

7. When do the departures begin?

   June 19

8. When do the departures end? **October 23**

9. Which ski resort do these trips go to? **Portillo**

10. In what country is Portillo? **Argentina**

11. The prices shown are for how many days? **8**

ESQUÍ

A NIVEL *Cavaliere*

Cavaliere, el operador turístico de nivel internacional

CUATRO CATEGORÍAS

- **Expertos con equipo**
  Incluye profesor de su nivel y provisión de equipo
- **Expertos**
  Igual cobertura, sin la provisión de equipo
- **Futuros**
  Provisión de equipo completo y dos clases diarias con profesor exclusivo para grupos reducidos
- **Niños con escuela de esquí**
  Niños de 3 a 11 años que pasan el día entero a cargo de personal especializado y aprenden jugando. Se incluye pensión completa y provisión de equipo.

CUATRO SALIDAS SEMANALES

Martes, Jueves, Sábados y Domingos
desde el 19 de junio hasta el 23 de octubre

Portillo — 8 días

Expertos c/ equipo	de 39.980 a 52.000
Expertos	de 3l.700 a 51.500
Futuros	de 40.680 a 54.900
Niños / escuela	de 32.900 a 48.300

Cavaliere

lo prometido… y más.
Córdoba 617 primer piso • Res. 658 • 74

Mi autobiografía

Write about the summer and winter weather where you live. Tell which season you prefer. Do you like both summer and winter activities? Write as much as you can about both summer and winter activities that you participate in.

Mi autobiografía

CAPÍTULO **10**
Diversiones culturales

Vocabulario   PALABRAS 1

A. **En la taquilla** Complete each sentence with the appropriate word(s).

1. La gente compra sus _____**entradas**_____ o boletos para el cine en la

   _____**taquilla (boletería)**_____ .

2. Hay una _____**sesión**_____ a las 18:30 y hay otra a las 21:30.

3. El film es popular y mucha gente quiere comprar _____**entradas (boletos)**_____ . Hay una

   _____**cola**_____ delante de la taquilla.

4. En el cine presentan la película en una _____**pantalla**_____ grande.

5. No quiero una _____**butaca**_____ en la primera _____**fila**_____ . Está
   demasiado cerca de la pantalla y no veo bien.

B. **Sinónimos** Match the word in the left-hand column with a word that means the same in
the right-hand column.

1. __**c**__ la taquilla   **a.** la localidad, el boleto, el billete

2. __**a**__ la entrada   **b.** la silla, el asiento

3. __**e**__ la película   **c.** la ventanilla, la boletería

4. __**b**__ la butaca   **d.** la fila

5. __**d**__ la cola   **e.** el film, el filme

Nombre _____ Fecha _____

C **Una película** Complete each sentence with the appropriate word(s).

1. El joven _____ vio _____ una película en el cine Rex.

2. No vio la película doblada. La vio en _____ versión original _____ con

_____ subtítulos _____ en español.

3. Él no volvió a casa en autobús. Cuando salió del cine, _____ perdió _____ el autobús.

4. Como perdió el bus, decidió tomar el _____ metro _____.

5. Subió al metro en la _____ estación _____ Insurgentes.

Vocabulario

D **¿Quién es o qué es?** Identify each item.

1. _____ el cuadro _____

2. _____ la estatua _____

3. _____ el museo _____

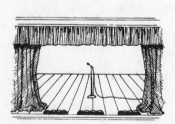

4. _____ la escena _____

5. _____ la artista _____

E **¿Quién es?** Write the profession of the person being described.

1. Él pinta cuadros.

   el artista

2. Ella juega el papel de un personaje en una obra teatral o en una película.

   la actriz

3. Él escribe obras literarias.

   el autor

4. Él juega el papel de un personaje en una obra teatral o en una película.

   el actor

F **¿Sí o no?** Tell whether each statement is true or false. Write **sí** or **no.**

1. **no** Siempre hay una exposición de arte en el cine.

2. **sí** Ellos ven una película en la pantalla.

3. **sí** Un carro es un medio de transporte.

4. **no** La escultora dio una representación en el teatro.

5. **no** Los actores entran en el telón.

6. **sí** Los espectadores aplauden después de una comedia musical si les gustó.

7. **sí** Los artistas pintaron el mural.

8. **no** Antes de entrar en el teatro es necesario comprar una taquilla.

G. **Unas preguntas** Make up a question about each statement. The answer to the question would be the italicized word(s).

1. Alejandra salió *anoche*.

   ¿Cuándo salió Alejandra?

2. Ella salió con *una amiga*.

   ¿Con quién salió?

3. Ellas vieron *una película* en el Cine Imperial.

   ¿Qué vieron en el Cine Imperial?

4. Ellos vieron una película *en el Cine Imperial*.

   ¿Dónde vieron una película?

5. Ellos pagaron *cuatro pesos* por las entradas.

   ¿Cuánto pagaron por las entradas?

6. La sesión empezó *a las ocho*.

   ¿A qué hora empezó la sesión?

7. La película fue *muy buena*.

   ¿Cómo fue la película?

8. Ellos volvieron a casa *en el metro*.

   ¿Cómo volvieron a casa?

Estructura

Pretérito de los verbos en -er e -ir

A. Una carta a un(a) amigo(a) Write a friend a short letter. Tell him or her: you went out last night; you saw a good movie; you saw the movie at the Cine Rex; afterwards you ate at a restaurant; you returned home at 10:30.

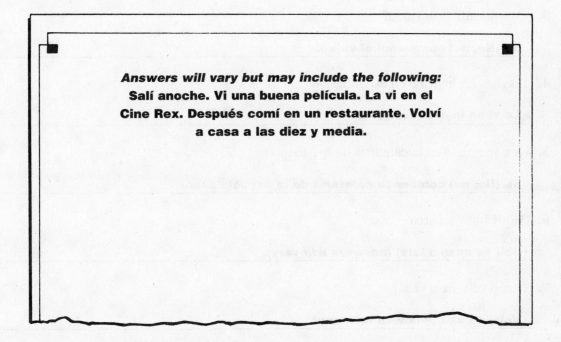

Answers will vary but may include the following:
Salí anoche. Vi una buena película. La vi en el Cine Rex. Después comí en un restaurante. Volví a casa a las diez y media.

B. Otra carta Rewrite the letter from Activity A. Tell your friend what you and Guillermo did.

Answers will vary but may include the following:
Guillermo y yo salimos anoche. Vimos una buena película. La vimos en el Cine Rex. Después comimos en un restaurante. Volvimos a casa a las diez y media.

C **Yo** Answer the following questions about yourself.

1. Ayer, ¿viste un video en la clase de español?

 Sí, (No, no) vi un video en la clase de español ayer. _____

2. ¿Aprendiste algo nuevo en clase?

 Sí, aprendí algo nuevo en clase. _____

3. ¿Comprendiste el video?

 Sí, (No, no) comprendí el video. _____

4. ¿Lo viste en inglés o en español?

 Lo vi en inglés (español). _____

5. Ayer, ¿comiste en la cafetería de la escuela?

 Sí, (No, no) comí en la cafetería de la escuela ayer. _____

6. ¿A qué hora saliste de casa?

 Salí de casa a la(s) *(answers will vary).* _____

7. ¿Cómo volviste a casa?

 Volví a casa *(answers will vary).* _____

D. **Anoche** Complete each sentence with the correct preterite form of the verb(s) in parentheses.

1. Roberto _____**salió**_____ anoche y no _____**volvió**_____ a casa hasta la medianoche. (salir, volver)

2. Él y sus amigos _____**fueron**_____ al cine donde _____**vieron**_____ una película. (ir, ver)

3. Ellos la _____**vieron**_____ en inglés, en versión original. (ver)

4. Ellos la _____**comprendieron**_____ sin problema. (comprender)

5. Vicente, ¿ _____**comprendiste**_____ tú la película? (comprender)

6. Claro que yo la _____**comprendí**_____. _____**Aprendí**_____ mucho inglés en la escuela. (comprender, Aprender)

7. Cuando nosotros _____**salimos**_____ del café, _____**perdimos**_____ el autobús. (salir, perder)

8. ¿Como _____**volvieron**_____ Uds. a casa? (volver)

9. Nosotros _____**volvimos**_____ en taxi. (volver)

E. **Hoy no, ayer.** Rewrite all the sentences, changing **hoy** to **ayer.**

1. Hoy como en casa.

   _____**Ayer comí en casa.**_____

2. Hoy vemos una película.

   _____**Ayer vimos una película.**_____

3. ¿Qué escribes hoy para la clase de inglés?

   _____**¿Qué escribiste ayer para la clase de inglés?**_____

4. ¿A qué hora salen Uds. hoy?

   _____**¿A qué hora salieron Uds. ayer?**_____

5. ¿Dan Uds. una fiesta hoy?

   _____**¿Dieron Uds. una fiesta ayer?**_____

Complementos le, les

F. **La carta** Complete with **le, les, lo, la, los,** or **las.** Be careful in deciding whether you need a direct object or an indirect object.

TERESA: Esta noche ___le___ tengo que escribir una carta a Carmen.
1

ALEJANDRO: ¿ ___Le___ tienes que escribir? ¿Por qué?
2

TERESA: ¿Pues, yo recibí una carta de ella.

ALEJANDRO: ¿Ah, sí? ¿Cuándo ___la___ recibiste?
3

TERESA: ___La___ recibí la semana pasada.
4

ALEJANDRO: Pues, sí. Es verdad que ___le___ tienes que escribir. ¿Qué ___le___ vas a decir?
5 6

TERESA: ___Le___ tengo que decir que no puedo asistir a su fiesta.
7

ALEJANDRO: ¿A su fiesta?

TERESA: Sí, sus padres ___le___ van a dar una fiesta en honor del día de su santo.
8

ALEJANDRO: ¿ ___Les___ escribiste a sus padres también?
9

TERESA: No. ¿Por qué me preguntas?

ALEJANDRO: Pues, si no puedes asistir a la fiesta, ___les___ debes presentar tus excusas a sus
padres también. 10

TERESA: Tienes razón. Luego ___le___ voy a escribir una carta a Carmen y ___les___ voy a
11 12

escribir otra a sus padres.

G. **Los complementos** Rewrite each sentence, substituting a pronoun for the indicated object.

1. Ellos vieron *la película* en el cine.

___Ellos la vieron en el cine.___

2. Tomás dio la invitación *a sus amigos.*

___Tomás les dio la invitación.___

3. El profesor habló *al estudiante* en español.

___El profesor le habló en español.___

Un poco más

A. **Una ópera** Read the following advertisement that appeared in a Spanish newspaper.

B. **Buscando informes** Answer the questions according to the information in the advertisement in Activity A.

1. ¿Qué temporada es?

   la temporada de ópera lírica

2. ¿Qué ópera presentan ahora?

   La Boheme

3. ¿Quien escribió la ópera?

   Giacomo Puccini

4. ¿Cuándo es el estreno (la primera función)?

   hoy

5. ¿En qué teatro es?

   el Teatro Calderón

6. ¿Dónde venden las entradas o localidades?

   en el Teatro Calderón, en la Central de Reservas o en la Caja Madrid

C. **Un tenor español** Read the following information that appeared in a short magazine clip.

**LA LEGION DE
HONOR PARA
JOSE CARRERAS**
CON LA CRUZ DE
CABALLERO DE LA
LEGION DE HONOR
FRANCESA,
OTORGADA POR EL
PRESIDENTE
JACQUES CHIRAC,
FUE CONDECORADO
EL TENOR ESPAÑOL
JOSE CARRERAS,
NO SOLO EN SU
CALIDAD DE ARTISTA,
SINO TAMBIEN POR
SU LABOR COMO
PRESIDENTE DE LA
FUNDACION CONTRA
LA LEUCEMIA, MAL
DEL QUE EL CATALAN
FUE VICTIMA HACE
UNOS AÑOS, Y QUE
LOGRO SUPERAR
DESPUES DE UN
TRASPLANTE
DE MEDULA.

D. **Información** Give the following information according to the clip in Activity C.

1. el nombre del tenor español ___**José Carreras**___

2. el nombre del presidente francés ___**Jacques Chirac**___

3. enfermedad de la que sufrió el tenor ___**la leucemia**___

4. organización beneficiosa por la que trabaja Carreras ___**la Fundación contra la Leucemia**___

E. **Un cantante famoso** Read the following ad that appeared in a Puerto Rican newspaper.

F. **Preguntas** In a word or two, answer the questions according to the ad in Activity E.

1. nombre del cantante

**José Feliciano**

2. fechas de su espectáculo

**marzo 20 y 21**

3. orquesta que lo va a acompañar

**Orquesta filarmónica de Puerto Rico Arturo Somohano**

4. nombre del conductor de la orquesta

**Gualberto Capdeville**

5. dónde va a ser el concierto

**en el Caribe Hilton San Juan**

6. cuándo están a la venta los boletos

**están a la venta los boletos ahora**

Mi autobiografía

Everyone gets involved in different cultural activities. Write about a cultural activity that interests you and mention others that you have no interest in. Do you watch a lot of television? What programs do you watch? Do you go to the movies often? When do you go? Do you enjoy the arts? If so, write about those that interest you.

Mi autobiografía

CAPÍTULO **11**

Un viaje en avión

Vocabulario

A **Una tarjeta de embarque** Give the following information according to the boarding pass.

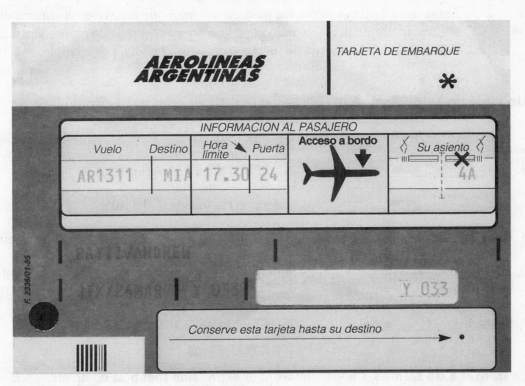

1. el nombre del pasajero ___**Andrew Payti**___

2. el nombre de la línea aérea ___**Aerolíneas Argentinas**___

3. la hora de salida ___**17:30 (las cinco y media)**___

4. la fecha del vuelo ___**el 24 de marzo**___

5. el número del vuelo ___**AR1311**___

6. el número de la puerta de salida ___**24**___

7. el número del asiento ___**4A**___

8. el destino del vuelo ___**Miami**___

B **En el aeropuerto** Indicate whether each statement is true or false. Write **sí** or **no.**

1. __sí__ Cuando el pasajero llega al aeropuerto, tiene que facturar las maletas grandes.

2. __no__ Es imposible abordar el avión con el equipaje de mano.

3. __sí__ Cuando el pasajero factura su equipaje, el agente pone un talón en cada maleta para identificar el destino.

4. __sí__ Cuando uno hace un viaje internacional, es decir un viaje a un país extranjero, es necesario llevar (tener) pasaporte.

5. __sí__ Antes de abordar el avión, los pasajeros tienen que pasar por el control de seguridad donde inspeccionan al pasajero y su equipaje de mano. Verifican si el pasajero lleva un arma de fuego—como una pistola, por ejemplo.

C **Un viaje en avión** Complete each sentence with the appropriate word(s).

1. Ella _____ **hace** _____ un viaje en avión.

2. Ella _____ **sale** _____ de casa en taxi para ir al aeropuerto.

3. Ella _____ **pone** _____ sus maletas en la maletera del taxi.

4. Cuando llega al aeropuerto, ella _____ **pone** _____ sus maletas en la báscula.

5. Ella _____ **factura** _____ su equipaje. El agente _____ **pone** _____ un talón en cada maleta.

6. Su avión _____ **sale** _____ de la puerta de salida número siete.

D **La pantalla de salidas** Choose the word or expression that best completes each sentence.

VUELO	SALIDA	ABORDAR	PUERTA	DESTINO
UA 105	7:05	6:30	5	BUENOS AIRES
AA 731	7:30	7:00	12	LIMA
AV 701	8:15	7:45	2	BOGOTÁ

1. El vuelo 105 de la United sale a las __a__.

   a. siete y cinco   **b.** seis y media   **c.** cinco

2. El vuelo que sale a las ocho y cuarto va a __c__.

   a. Lima   **b.** Buenos Aires   **c.** Bogotá

3. Los pasajeros del vuelo 701 de Avianca pueden abordar el avión a las __b__.

   a. ocho y cuarto   **b.** ocho menos cuarto   **c.** dos

4. El vuelo que sale de la puerta número doce va a __b__.

   a. Buenos Aires   **b.** Lima   **c.** Bogotá

Vocabulario

PALABRAS 2

E   **¿Qué es o quién es?** Write the name of each place or person.

1. <u>la (agente de) aduana</u>

2. <u>el control de pasaportes</u>

3. <u>el reclamo de equipaje</u>

4. <u>la asistente de vuelo</u>

5. <u>el piloto (comandante)</u>

F   **Palabras derivadas** Match each verb in the left-hand column with the corresponding noun in the right-hand column.

1. <u>e</u> asistir   **a.** el vuelo

2. <u>g</u> reclamar   **b.** el aterrizaje

3. <u>d</u> controlar   **c.** el despegue

4. <u>a</u> volar   **d.** el control

5. <u>f</u> inspeccionar   **e.** el/la asistente

6. <u>c</u> despegar   **f.** la inspección

7. <u>b</u> aterrizar   **g.** el reclamo

8. <u>h</u> llegar   **h.** la llegada

G.   **Diccionario** Give the word being defined.

1. el que trabaja a bordo del avión; sirve a los pasajeros

   el asistente de vuelo

2. todo el personal a bordo de un avión

   la tripulación

3. el comandante

   el piloto

4. los que viajan en el avión

   los pasajeros

5. el lugar donde inspeccionan o verifican los pasaportes

   el control de pasaportes

6. el lugar donde inspeccionan el equipaje de los pasajeros que llegan

   la aduana

Estructura

Hacer, poner, traer, salir en el presente

A **Un viaje** Make sentences using the expression **hacer un viaje.**

1. Yo / a España

   Yo hago un viaje a España.

2. Yo / con mi primo

   Yo hago un viaje con mi primo.

3. Nosotros / en avión

   Nosotros hacemos un viaje en avión.

4. Mis hermanos no / a España

   Mis hermanos no hacen un viaje a España.

5. Ellos / a México

   Ellos hacen un viaje a México.

6. ¿Adónde / sus padres?

   ¿Adónde hacen un viaje sus padres?

7. Mis padres / a México también

   Mis padres hacen un viaje a México también.

B   **Haciendo la maleta** Complete each sentence with the correct form of **hacer, poner,** and **salir**.

1. Juan _____**hace**_____ la maleta. Él _____**pone**_____ una camisa en la maleta. Él _____**sale**_____ para Málaga.

2. Nosotros _____**hacemos**_____ nuestra maleta. Nosotros _____**ponemos**_____ blue jeans en la maleta. Nosotros _____**hacemos**_____ la maleta porque _____**salimos**_____ para Cancún, México.

3. ¿Tú _____**haces**_____ tu maleta? ¿Para dónde _____**sales**_____?

4. Mis padres _____**hacen**_____ su maleta. Ellos _____**ponen**_____ muchas cosas en la maleta. Ellos _____**hacen**_____ su maleta porque _____**salen**_____ para Miami.

5. Yo _____**hago**_____ mi maleta. Yo _____**pongo**_____ blue jeans y T-shirts en mi maleta. Yo _____**hago**_____ la maleta porque _____**salgo**_____ para la Sierra de Guadarrama donde voy de camping.

C   **Todos tenemos suerte.** These people are lucky because they are coming from a place they enjoyed a great deal. Complete each sentence with the correct form of **tener** and **venir.**

1. Yo _____**tengo**_____ mucha suerte porque _____**vengo**_____ de Toledo, una ciudad fantástica cerca de Madrid.

2. Jesús y Juanita _____**tienen**_____ mucha suerte porque _____**vienen**_____ de Puerto Rico, una isla tropical en el mar Caribe que _____**tiene**_____ playas estupendas.

3. Nosotros _____**tenemos**_____ mucha suerte porque _____**venimos**_____ de la Ciudad de México, la fabulosa capital de nuestro país.

4. Jorge _____**tiene**_____ mucha suerte porque _____**viene**_____ de Quito, una ciudad colonial en los Andes.

5. Tú también _____**tienes**_____ mucha suerte porque _____**vienes**_____ de Acapulco.

El presente progresivo

D. **Un poco de gramática** Give the present participle of each of the following verbs.

1. volar ____volando____   4. hacer ____haciendo____

2. llegar ____llegando____   5. salir ____saliendo____

3. comer ____comiendo____   6. leer ____leyendo____

E. **¿Qué están haciendo?** Rewrite each sentence using the present progressive tense.

1. Los pasajeros embarcan.

   Los pasajeros están embarcando.

2. El asistente de vuelo mira (revisa) las tarjetas de embarque.

   El asistente de vuelo está mirando (revisando) las tarjetas de embarque.

3. Los pasajeros buscan su asiento.

   Los pasajeros están buscando su asiento.

4. Ponen su equipaje de mano en el compartimiento sobre su asiento.

   Están poniendo su equipaje de mano en el compartimiento sobre su asiento.

5. La asistente de vuelo anuncia la salida.

   La asistente de vuelo está anunciando la salida.

6. El avión despega.

   El avión está despegando.

F. **Un viaje** Complete each sentence with the present progressive of the verb(s) in parentheses.

1. Nosotros ____estamos haciendo____ un viaje. (hacer)

2. En este momento, nosotros ____estamos volando____ a una altura de 10.000

   metros pero el avión todavía ____está subiendo____. (volar, subir)

3. Nosotros ____estamos sobrevolando____ los Andes. (sobrevolar)

4. Ahora el avión ____está aterrizando____. (aterrizar)

5. Nosotros ____estamos llegando____ al aeropuerto Jorge Chávez en Lima. (llegar)

G   **¿Qué hacen ahora?**   Answer the questions according to the illustrations.

1. ¿Qué están haciendo Teresa y Cristóbal ahora?

**Teresa y Cristóbal están abordando el avión.**

_____

2. ¿Qué está haciendo el señor Aparicio ahora?

**El señor Aparicio está poniendo un talón en la maleta.**

_____

3. ¿Qué estoy haciendo ahora?

**Tú estás pasando por el control de seguridad.**

**(Yo estoy pasando por el control de seguridad.)**

4. ¿Qué estamos haciendo ahora?

**Uds. están facturando el equipaje.**

**(Nosotros estamos facturando el equipaje.)**

Saber y conocer en el presente

H   **Lo que sé hacer**   In complete sentences, write five things you know how to do.

1. _**Answers will vary but all must include Sé + infinitive.**_

2. _____

3. _____

4. _____

5. _____

Nombre _____ Fecha _____

J **¿A quiénes conoces?** In complete sentences, write the names of five people you know.

1. __*Answers will vary but all must include* Conozco a._____

2. _____

3. _____

4. _____

5. _____

J **Un(a) buen(a) amigo(a)** Write a paragraph about a good friend. In the paragraph, answer the following questions: **¿Sabes su número de teléfono? ¿Cuál es? ¿Conoce él o ella a toda tu familia? ¿Conoces a toda su familia también? ¿Cuáles son algunas cosas que él o ella sabe hacer muy bien? ¿Sabes hacer las mismas cosas?**

__*Answers will vary.*_____

_____

_____

_____

_____

_____

_____

_____

_____

K **Un viaje a Puerto Rico** Complete each sentence with the correct form of **saber** or **conocer**.

1. Miguel _____**sabe**_____ que mañana va a salir para San Juan.

2. Él _____**sabe**_____ el número de su vuelo y a qué hora va a salir.

3. Como Miguel es de Puerto Rico, él _____**conoce**_____ a mucha gente en la isla.

4. Él _____**conoce**_____ la historia de Puerto Rico también.

5. Él _____**sabe**_____ que no tiene que llevar pasaporte a Puerto Rico.

6. Él _____**sabe**_____ que Puerto Rico es un estado libre asociado de los Estados Unidos.

Un poco más

A Un anuncio Read the following ad that appeared in a San Juan newspaper.

B La línea aérea Answer the questions according to the information in the ad in Activity A.

1. ¿Cuál es el nombre de la línea aérea? __**Copa**__

2. ¿De qué país es la compañía? __**Panamá**__

3. ¿Cuántos vuelos diarios tienen entre San Juan y la República Dominicana? __**2**__

4. ¿Cuánto es la tarifa? __**$135**__

5. ¿A cuántos países vuela? __**18**__

6. ¿Dónde está la oficina de Copa en Puerto Rico? __**Miramar Plaza Center, Miramar, Santurce**__

C **Para ir al aeropuerto** You are in Madrid and you plan to go to the airport. You want to take the airport bus. Fill in the following form at your hotel.

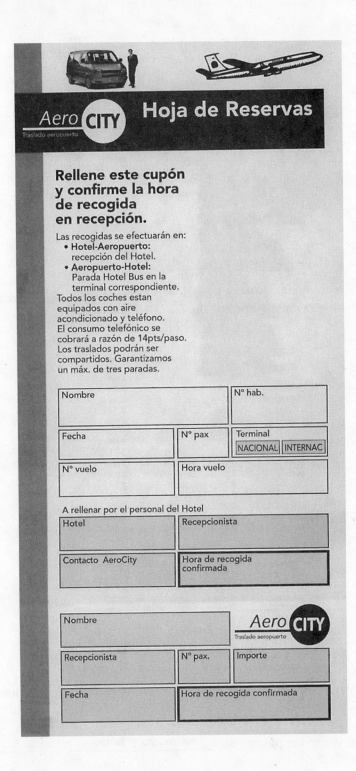

D. **Un vuelo** Read the following advertisement.

Vuele!

Para viajar en mayo y junio
con las tarifas más bajas de la historia,
compre su pasaje del 2 al 15 de marzo,
sin restricciones.

Desde y hacia Buenos Aires.

Bahía Blanca	$ 35	Resistencia	$ 55
Bariloche	$ 95	Rosario	$ 45
C. Rivadavia	$ 75	Río Gallegos	$ 105
Catamarca	$ 75	Río Grande	$ 135
Chapelco	$ 125	Salta	$ 95
Corrientes	$ 55	San Juan	$ 55
Córdoba	$ 45	San Luis	$ 55
Esquel	$ 135	San Rafael	$ 95
Formosa	$ 55	Santa Fe	$ 55
Iguazú	$ 75	Santa Rosa	$ 55
Jujuy	$ 95	Stgo. del Estero	$ 95
La Rioja	$ 75	Trelew	$ 75
Mar del Plata	$ 35	Tucumán	$ 75
Mendoza	$ 55	Ushuaia	$ 145
Neuquén	$ 55	Viedma	$ 85
Posadas	$ 55		

AEROLINEAS ARGENTINAS   **AUSTRAL**

ESTE VOLANTE FUE ENTREGADO EN MANO

E. **Buscando informes** Answer the questions according to the information in the ad in Activity D.

1. ¿Cuándo pueden viajar los pasajeros? __**en mayo y junio**__

2. ¿Cuándo tienen que comprar sus boletos o pasajes? __**del 2 al 15 de marzo**__

3. ¿Cómo son las tarifas? __**más baja de la historia**__

4. ¿Son tarifas de ida y vuelta o de ida solamente? __**de ida solamente**__

Nombre _____ Fecha _____

F. **Una tarjeta postal** Imagine you are in the airport and you are taking a trip. Tell your friend where you are going, what you have to do at the airport, and what time your flight is leaving.

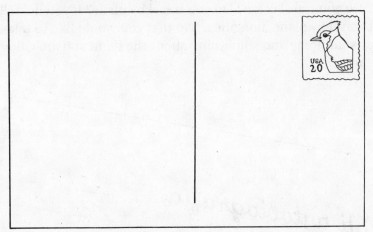

G. **Las lenguas romances** Spanish shares a lot of vocabulary with the other Romance languages derived from Latin. Look at the expressions below in Spanish, French, Italian, and Portuguese. Notice how much you could understand at an airport in Paris, Rome, Lisbon, or Rio de Janeiro.

ESPAÑOL	FRANCÉS	ITALIANO	PORTUGUÉS
la línea aérea	la ligne aérienne	la linea aerea	a linha aérea
el vuelo	le vol	il vuolo	o vôo
el pasaporte	le passeport	il passaporto	o passaporte
la puerta	la porte	la porta	a porta
la tarjeta de embarque	la carte d'embarquement	la carta d'imbarco	a cartão de embarque
la aduana	la douane	la dogana	a alfândega
el destino	la destination	la destinazione	o destino
el billete(boleto)	le billet	il biglietto	o bilhete
el pasajero	le passager	il passaggero	o passageiro
el viaje	le voyage	il viaggio	a viagem

Read the following announcements in Spanish, French, and Italian. Do you think you would have any trouble understanding them if you were at an airport in Spain, France, or Italy?

ESPAÑOL

Iberia anuncia la salida de su vuelo ciento cinco con destino a Madrid. Embarque inmediato por la puerta número siete, por favor.

FRANCÉS

Air France annonce le départ de son vol cent cinq à destination de Paris. Embarquement immédiat par la porte numéro sept, s'il vous plaît.

ITALIANO

Alitalia anuncia la partenza del vuolo cento cinque a destinazione Roma. Imbarco immediato per la porta numero sette, per favore.

Mi autobiografía

Do you like to travel? Do you travel often? Do you travel by plane? If you do, tell about your experience(s). If you do not travel by plane, imagine a trip that you would like to take. Tell something about the airport near your home and something about the flight you are going to take. Include as many details as you can.

Mi autobiografía

SELF-TEST **3**

A Match each statement with the appropriate illustration.

a

b

c

d

e

1. __d__ La muchacha estornuda.

2. __a__ La muchacha está muy contenta.

3. __b__ Ella tiene dolor de cabeza.

4. __e__ Tiene fiebre y escalofríos.

5. __c__ Guarda cama.

B Complete each sentence with the appropriate word(s).

1. El médico ve a sus pacientes en su __consulta (consultorio)__.

2. Tomás __abre__ la boca cuando el médico le __examina__ la garganta.

3. Gloria tiene fiebre y escalofríos y tiene dolor de estómago. El médico cree que tiene la __gripe__.

4. El farmacéutico despacha los __medicamentos__ en la farmacia.

5. El enfermo tiene que tomar tres __pastillas (píldoras)__ cada día.

C   Identify each item.

1. __la crema protectora__
(la loción bronceadora)

2. __los anteojos__
(las gafas) de sol

3. __la plancha de vela__

4. __el telesquí__
(el telesilla)

5. __la pista__

D   Answer the following questions.

1. ¿Qué tiempo hace en el verano?

**Answers will vary but may include the following:** Hace calor. Hace buen tiempo.

Hace (Hay) sol. El sol brilla en el cielo.

2. ¿Qué tiempo hace en el invierno?

**Answers will vary but may include the following:** Hace frío. Hace mal tiempo.

Nieva. Hay mucha nieve. La temperatura baja a cinco grados bajo cero.

3. ¿Qué hace la gente en la playa?

**Answers will vary but may include the following:** La gente toma el sol, nada,

bucea, esquía en el agua, y practica el surfing y la plancha de vela.

4. ¿Qué hace la gente en una estación de esquí?

**Answers will vary but may include the following:** La gente esquía. Compra boletos
para el telesquí en la ventanilla, toma el telesquí para subir la montaña, y baja las
pistas para expertos y para principiantes.

E Choose the correct answer for each question.

1. El joven vio una película.

   (a.) ¿Ah, sí ¿Fue al cine?

   b. ¿Ah, sí? ¿Fue al teatro?

   c. ¿Ah, sí? ¿Fue al museo?

2. ¿Dónde hace cola?

   a. Delante de la pantalla.

   b. Delante del telón.

   (c.) Delante de la taquilla.

3. ¿Qué compras para ir al teatro o al cine?

   a. Butacas.

   (b.) Entradas.

   c. Obras.

4. ¿Está doblada la película?

   a. Sí, hay dos.

   (b.) No, lleva subtítulos.

   c. Sí, en la pantalla.

5. ¿Por qué aplaudieron?

   (a.) Les gustó el espectáculo.

   b. Dieron una representación de *Bodas de Sangre.*

   c. El autor escribió una obra buena.

F Complete each sentence with the appropriate word(s).

1. Vamos al _____**aeropuerto**_____ si vamos a tomar un vuelo.

2. Tenemos tres maletas. Las quiero _____**facturar**_____ para Madrid.

3. El _____**vuelo**_____ para Madrid sale a las seis cuarenta de la

   _____**puerta**_____ número ocho.

4. Antes de abordar el avión, los pasajeros tienen que pasar por _____**el control**_____

   _____**de seguridad**_____.

5. El __**piloto (comandante)**__ y los _____**asistentes**_____ de vuelo son miembros de
la tripulación.

WORKBOOK
Copyright © Glencoe/McGraw-Hill

¡Buen viaje! Level 1 Self-Test 3 **145**

G. Complete each sentence with the correct form of **ser** or **estar**.

1. Ella no _____**está**_____ triste. _____**Está**_____ contenta.

2. Isabel _____**es**_____ una alumna muy buena. Ella _____**es**_____ muy seria.

3. Isabel _____**es**_____ de Puerto Rico y yo _____**soy**_____ de México.

4. Y ahora Isabel _____**está**_____ en México y yo _____**estoy**_____ en Puerto Rico.

5. Yo _____**estoy**_____ en San Juan.

6. San Juan _____**está**_____ en el nordeste de Puerto Rico.

7. La capital _____**es**_____ muy bonita.

H. Complete each sentence with the correct form of the preterite of the verb(s) in parentheses.

1. Ellos _____**fueron**_____ al cine. (ir)

2. Yo _____**compré**_____ las entradas en la taquilla. (comprar)

3. Nosotros _____**vimos**_____ una película muy buena. (ver)

4. ¿ _____**Viste**_____ tú a Carlos en el cine? Él también _____**fue**_____. (Ver, ir)

5. Sí, él me _____**vio**_____ y me _____**habló**_____. (ver, hablar)

6. ¿A qué hora _____**salieron**_____ Uds. del cine? (salir)

7. Luego (nosotros) _____**fuimos**_____ a comer algo. (ir)

8. Carlos _____**comió**_____ una pizza. (comer)

9. Pero yo no _____**comí**_____ nada. _____**Tomé**_____ un refresco. (comer, Tomar)

10. ¿Qué _____**tomaste**_____ tú? (tomar)

J. Complete the conversation with the correct pronouns.

—Enrique, ¿ __te__ vio Carolina?
        1

—Sí, ella __me__ vio delante de la escuela después de las clases. Pero yo no __la__ vi.
          2   3

—¿No __la__ viste?
       4

—No. Luego ella __me__ habló.
          5

—¿Y tú __le__ hablaste a ella también?
       6

—Sí, __le__ hablé. Y __la__ invité a tu fiesta.
     7   8

—¡Ah! ¡Qué bien! Ahora no __le__ tengo que escribir una invitación.
                       9

J. Answer the following questions.

1. ¿Haces un viaje?

    Sí, (No, no) hago un viaje.

2. ¿Vas a México?

    Sí, (No, no) voy a México.

3. ¿Haces un viaje en avión?

    Sí, (No, no) hago un viaje en avión.

4. ¿A qué hora sales?

    Salgo a las _(answers will vary)_.

5. ¿Sabes a qué hora vas a llegar a México?

    Sí, (No, no) sé a qué hora voy a llegar a México.

6. ¿Conoces a México?

    Sí, (No, no) conozco a México.

WORKBOOK
Copyright © Glencoe/McGraw-Hill

¡Buen viaje! Level 1 Self-Test 3   **147**

K   Complete with the correct form of **saber** or **conocer.**

1. ¿ _____**Conoces**_____ tú a Alejandra Pérez?

2. Sí, yo la _____**conozco**_____ bien.

3. ¿ _____**Sabes**_____ (tú) su número de teléfono?

4. No, yo no _____**sé**_____ su número.

5. Pero Carlos _____**sabe**_____ donde vive.

6. ¿Ah, sí? ¿Carlos la _____**conoce**_____ también?

L   Rewrite each sentence, using the progressive tense as in the model.

Esquían.
Están esquiando.

1. Esquían en el agua.

   _____**Están esquiando en el agua.**_____

2. Tomo el sol.

   _____**Estoy tomando el sol.**_____

3. ¿Uds. comen en la playa?

   _____**¿Están Uds. comiendo en la playa?**_____

4. Escriben tarjetas postales.

   _____**Están escribiendo tarjetas postales.**_____

CAPÍTULO **12**

Una gira

Vocabulario

A **¿Qué es?** Identify each item.

1. _____ **la navaja** _____

2. _____ **la crema de afeitar** _____

3. _____ **el espejo** _____

4. _____ **la ducha** _____

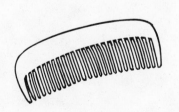

5. _____ **el peine** _____

6. _____ **el pan tostado** _____

B **El cuerpo** Identify as many parts of the body as you can in Spanish.

1. _____ la cabeza _____   8. _____ el estómago _____

2. _____ el pelo _____   9. _____ el brazo _____

3. _____ la cara _____   10. _____ la mano _____

4. _____ los ojos _____   11. _____ la pierna _____

5. _____ la boca _____   12. _____ la rodilla _____

6. _____ los dientes _____   13. _____ el pie _____

7. _____ la garganta _____

C **Frases originales** Make up sentences using a word or expression from each column.

| El joven La joven | levantarse lavarse mirarse ponerse sentarse cepillarse | una falda azul a las siete de la mañana los dientes en el espejo la cara tarde a la mesa |

1. ___ El (La) joven se levanta a las siete de la mañana (tarde). ___

2. ___ El (La) joven se lava la cara (los dientes). ___

3. ___ El (La) joven se mira en el espejo. ___

4. ___ La joven se pone una falda azul. ___

5. ___ El (La) joven se sienta a la mesa. ___

6. ___ El (La) joven se cepilla los dientes. ___

Vocabulario

PALABRAS 2

D. **¿Qué es?** Answer the question according to the illustrations.

¿Qué pone la joven en la mochila?

1. _____el champú_____

2. _**el cepillo de dientes**_

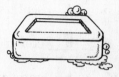

3. _**la barra (pastilla) de**_
   jabón

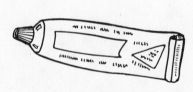

4. _**el tubo de pasta**_
   dentífrica

5. _**la botella de agua**_
   mineral

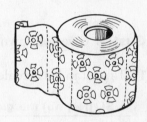

6. _**el rollo de papel**_
   higiénico

E. **Una gira** Complete each sentence with the appropriate word(s).

1. Los amigos están viajando por un país europeo. Los amigos están viajando por

   _____**España**_____.

2. Están haciendo un viaje que no cuesta mucho. Están haciendo un viaje ____**económico**____.

3. Lo están pasando muy bien. Se _____**divierten**_____ mucho.

4. Ellos no andan a pie. Van en _____**bicicleta**_____.

5. No duermen en una cama. Duermen en su _____**saco de dormir**_____.

6. No pasan la noche en un hotel lujoso. Pasan la noche en _**un albergue para jóvenes**_

   **(un hostal, una pensión)**.

F. **Palabras relacionadas** Match each word in the left-hand column with a related word in the right-hand column.

1. __d__ cepillar   **a.** dentífrico

2. __g__ desayunar   **b.** la comida

3. __a__ los dientes   **c.** la diversión

4. __e__ peinar   **d.** el cepillo

5. __i__ sentarse   **e.** el peine

6. __b__ comer   **f.** la caminata

7. __j__ enrollar   **g.** el desayuno

8. __c__ divertirse   **h.** el viaje

9. __h__ viajar   **i.** el asiento

10. __f__ caminar   **j.** el rollo

G. **Gustos** Give your own answers.

1. ¿Te gustan los cereales?

    Sí, (No, no) me gustan los cereales.

2. ¿Te gustan las naranjas?

    Sí, (No, no) me gustan las naranjas.

3. ¿Te gusta el jugo de naranja?

    Sí, (No, no) me gusta el jugo de naranja.

4. Para el desayuno, ¿te gustan más los huevos o los cereales?

    Para el desayuno, me gustan más los huevos (los cereales).

5. ¿Te gusta comer en la cafetería de la escuela?

    Sí, (No, no) me gusta comer en la cafetería de la escuela.

Estructura

Verbos reflexivos

A **Preguntas personales** Answer the following questions.

1. ¿Cómo te llamas?

Me llamo **(answers will vary)**.

2. ¿A qué hora te levantas?

Me levanto a las **(answers will vary)**.

3. ¿Dónde te desayunas?

Me desayuno en la cocina (en el comedor).

4. ¿Te cepillas los dientes después del desayuno?

Sí, me cepillo los dientes después del desayuno.

5. Por la mañana, ¿te bañas o tomas una ducha?

Por la mañana, me baño (tomo una ducha).

6. ¿Te miras en el espejo cuando te peinas?

Sí, (No, no) me miro en el espejo cuando me peino.

B **Un día típico** Complete each sentence with the correct reflexive pronoun(s).

1. Yo __me__ despierto y __me__ levanto enseguida.

2. Mi hermano y yo __nos__ levantamos a la misma hora.

3. Yo __me__ lavo y luego él __se__ lava.

4. Nosotros no __nos__ lavamos al mismo tiempo en el cuarto de baño.

5. Mis amigos __se__ cepillan los dientes después de cada comida.

6. Y ellos __se__ lavan las manos antes de comer.

C **Yo** Complete the paragraph with the appropriate words.

Yo __me__ lavo __las__ manos y __la__ cara. __Me__ cepillo __los__ dientes y __me__ cepillo
    1   2   3   4   5   6

__el__ pelo. Yo __me__ pongo __la__ ropa.
 7   8   9

Verbos reflexivos de cambio radical

D **La rutina** Complete each sentence with the correct present-tense form of the verb(s).

1. Yo _____**me despierto**_____ y me levanto enseguida. (despertarse)

2. Mi hermana y yo bajamos a la cocina y _____**nos sentamos**_____ a la mesa. (sentarse)

3. Después de las clases, yo _____**me divierto**_____ con mis amigos.

   Nosotros _____**nos divertimos**_____ mucho. (divertirse, divertirse)

4. Cuando yo _____**me acuesto**_____, _____**me duermo**_____ enseguida. (acostarse, dormirse)

5. Y tú, ¿ _____**te duermes**_____ enseguida cuando

   _____**te acuestas**_____? (dormirse, acostarse)

E **En el pasado** Rewrite each sentence in the preterite.

1. Ellos se sientan a la mesa.

   _____**Ellos se sentaron a la mesa.**_____

2. Él se acuesta a la medianoche.

   _____**Él se acostó a la medianoche.**_____

3. Desgraciadamente yo no me duermo enseguida.

   _____**Desgraciadamente yo no me dormí enseguida.**_____

4. Los amigos se divierten mucho.

   _____**Los amigos se divirtieron mucho.**_____

5. ¿A qué hora te acuestas?

   _____**¿A qué hora te acostaste?**_____

6. Yo me despierto tarde.

   _____**Yo me desperté tarde.**_____

7. Nosotros nos sentamos a la mesa para tomar el desayuno.

   _____**Nosotros nos sentamos a la mesa para tomar el desayuno.**_____

F **¿Pronombre o no?** Complete with a pronoun when necessary.

1. Yo _____ **me** _____ llamo Paco. Y tú, ¿cómo _____ **te** _____ llamas?

2. Yo _____ **—** _____ llamo a mi amigo Alejandro.

3. Ellos _____ **se** _____ acuestan temprano.

4. Ellos _____ **—** _____ acuestan temprano al bebé.

5. _____ **Me** _____ lavo la cara varias veces al día.

6. Una vez a la semana _____ **—** _____ lavo a mi perro.

7. Ella es muy graciosa. Siempre _____ **—** _____ divierte a sus amigos.

8. Todos _____ **se** _____ divierten cuando están con ella.

9. ¿Qué _____ **—** _____ pones en la mochila?

10. Hace frío. _____ **Me** _____ pongo el anorak.

Un poco más

A **Unos anuncios** Read the following ads for health and cosmetic products.

1.69
CHAMPÚ Y ACONDICIONADOR
PROTEX. 10.5 oz. para cabello normal, seco o grasoso. Reg. 2.39.
Mín. 24 por tienda

7.39 Pqte.
PAPEL SANITARIO CHARMIN. Pqte. de 24 rollos ó 6 pqtes. de 4 rollos. 280 hojas por rollo. Regular 8.39.
Mín. 24 por tienda

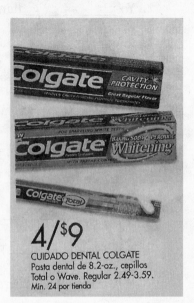

4/$9
CUIDADO DENTAL COLGATE
Pasta dental de 8.2-oz., cepillos Total o Wave. Regular 2.49-3.59.
Mín. 24 por tienda

$8 c.u.
DOVE. Pqte. de 8 barras o "body wash" de 24 oz. Regular 9.39. Ponds cold cream*, Regular 5.97, VENTA $5 Mín. 24 por tienda
*6.1-6.5-oz.

B **Sinónimos** Find another term for each of the following in the ads in Activity A.

1. pasta dentífrica ___**pasta dental**___

2. 8 pastillas de jabón ___**8 barras**___

3. para pelo normal, seco o grasoso ___**para cabello normal, seco o grasoso**___

4. papel higiénico ___**papel sanitario**___

C **Preguntas** Answer the questions according to the information in the ads in Activity A.

1. ¿Cuánto cuestan los cepillos de dientes? ___**4/$9**___

2. ¿Cuál es el precio regular del champú que ahora tiene el precio de $1.69? ___**$2.39**___

3. ¿En paquetes de cuántos rollos viene el papel sanitario? ___**24 rollos o 4 rollos**___

4. ¿Cuántas hojas hay por rollo? ___**280**___

D **La pasta dentífrica** Read the following advertisement.

Colgate Total
Ayuda a prevenir
caries, gingivitis y placa dental.
4.2 oz. Precio Reg. $1.99/Precio Esp.$1.79

Nuevo en

Sólo lo mejor al mejor precio
Lunes, 16 de febrero, estaremos abiertos hasta el mediodía en conmemoración del Natalicio de George Washington.

E In English, write what this toothpaste helps to prevent.

__cavities, gingivitis, and plaque_____

F **La tienda** Answer according to the information in the ad in Activity D.

1. ¿Cómo se llama la tienda? __Amigo_____

2. ¿Qué día va a estar abierta solamente unas horas? __lunes, 16 de febrero_____

3. ¿Hasta qué hora va a estar abierta? __hasta el mediodía_____

4. ¿En honor de quién es el día de fiesta? __George Wáshington_____

5. ¿Qué opina Ud.? ¿En qué país está la tienda? ¿Está en Cuba, Puerto Rico o México?

__en Puerto Rico_____

¿Por qué? __porque celebran el cumpleaños de Wáshington_____

Mi autobiografía

Every day there are routine activities we all have to do. Give as much information as you can about your daily routine. Tell what you usually do each day. Tell what time you usually do it. Is your week-end **(el fin de semana)** routine the same as your weekday (**durante la semana, días laborables**) routine or not?

Mi autobiografía

CAPÍTULO 13

Un viaje en tren

Vocabulario

A. **¿Qué es o quién es?** Identify each item or person.

1. _____ **el horario** _____

2. _____ **el billete** _____

3. _____ **el tablero de salidas** _____

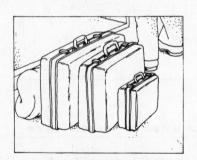

4. _____ **el equipaje** _____
_____ **(las maletas)** _____

5. _____ **la sala de espera** _____

6. _____ **el coche (el vagón)** _____

7. _____ **la estación** _____
_____ **de ferrocarril** _____

8. _____ **el mozo (el maletero)** _____

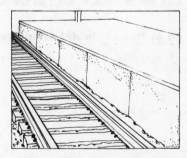

9. _____ **la via** _____

Nombre _____ Fecha _____

B **En el andén** Write a paragraph describing the illustrations.

Answers will vary but may include the following: **Los pasajeros están en la estación de**

ferrocarril. Hacen un viaje en tren. Hay una cola delante de la ventanilla (taquilla). Los

pasajeros compran sus billetes (boletos) en la ventanilla (taquilla). El tren está en la vía.

Los pasajeros suben al tren. Un mozo (maletero) ayuda a una pasajera. Le pone el equipaje

en el tren. Sale del andén número 3.

_____

_____

_____

_____

Vocabulario

PALABRAS 2

C. Lo contrario Match the word or expression in the left-hand column with its opposite in the right-hand column.

1. __b__ subir al tren
2. __e__ libre
3. __a__ a tiempo
4. __c__ el billete de ida y vuelta
5. __d__ la salida

a. tarde
b. bajar del tren
c. el billete sencillo
d. la llegada
e. ocupado

D. El sinónimo Match the word or expression in the left-hand column with a word or expression that means the same in the right-hand column.

1. __d__ el mozo
2. __a__ la ventanilla
3. __f__ el vagón
4. __e__ el billete
5. __b__ transbordar
6. __c__ con retraso

a. la boletería
b. cambiar de tren
c. con una demora
d. el maletero
e. el boleto
f. el coche

E **Frases originales** Make up a sentence according to each illustration.

1. __Los pasajeros suben al tren.__ _____

_____

2. __Los pasajeros (se) bajan del tren.__ _____

_____

3. __Los pasjaeros transbordan (cambian de tren).__ _____

_____

4. __El revisor mira los boletos.__ _____

_____

5. __Los pasajeros comen en el coche-comedor (coche-cafetería).__

_____

Estructura

Hacer, querer y venir en el pretérito

A. **En el pasado** Rewrite each sentence in the preterite.

1. No lo quiero hacer.

   No lo quise hacer. _____

2. No lo hago.

   No lo hice. _____

3. No vengo.

   No vine. _____

4. ¿Por qué no lo quieres hacer?

   ¿Por qué no lo quisiste hacer? _____

5. ¿Uds. no lo hacen?

   ¿Uds. no lo hicieron? _____

6. ¿Por qué no vienen?

   ¿Por qué no vinieron? _____

7. Nosotros lo hacemos a tiempo.

   Nosotros lo hicimos a tiempo. _____

Verbos irregulares en el pretérito

B. **Un accidente, pero no serio** Complete each sentence with the correct preterite form of the verb(s) in parentheses.

1. Unos cien pasajeros _____**estuvieron**_____ a bordo del tren cuando

   _____**tuvo**_____ lugar (ocurrió) el accidente. (estar, tener)

2. Nosotros no _____**supimos**_____ nada del accidente. (saber)

3. Como Uds. no _____**supieron**_____ nada, no _____**pudieron**_____ hacer nada,
   ¿verdad? (saber, poder)

4. Exactamente. Pero cuando ellos no llegaron a mi casa, yo _____**hice**_____ una
   llamada telefónica. (hacer)

5. Pero yo _____**tuve**_____ que esperar mucho tiempo para saber algo porque nadie
   contestó el (al) teléfono. (tener)

C. **Un viaje por España** Complete each sentence with the correct preterite form of the verb(s) in parentheses.

1. Ellos _____**hicieron**_____ un viaje a España. (hacer)

2. Ellos _____**anduvieron**_____ por todo el país. (andar)

3. Desgraciadamente no _____**pudieron**_____ ir a Galicia en el noroeste porque no

   _____**tuvieron**_____ bastante tiempo. (poder, tener)

4. Ellos _____**estuvieron**_____ casi un mes entero en Andalucía, en el sur. (estar)

D. **El tren** Rewrite each sentence in the preterite.

1. Yo hago un viaje con mi hermana.

   Yo hice un viaje con mi hermana.

2. Hacemos el viaje en tren.

   Hicimos el viaje en tren.

3. No queremos hacer el viaje en coche.

   No quisimos hacer el viaje en coche.

4. El tren está completo.

   El tren estuvo completo.

5. Nosotros no podemos encontrar un asiento libre.

   Nosotros no pudimos encontrar un asiento libre.

6. Nosotros estamos de pie en el pasillo.

   Nosotros estuvimos de pie en el pasillo.

7. Nosotros tenemos que transbordar en Segovia.

   Nosotros tuvimos que transbordar en Segovia.

8. Podemos encontrar un asiento libre en el otro tren.

   Pudimos encontrar un asiento libre en el otro tren.

9. Estamos muy cómodos en este tren.

   Estuvimos muy cómodos en este tren.

E **En el pasado** Rewrite the sentences in the past.

1. No lo hago porque no lo quiero hacer.

   No lo hice porque no lo quise hacer.

2. Y él no lo hace porque no lo puede hacer.

   Y él no lo hizo porque no lo pudo hacer.

3. Ellos no vienen porque no tienen el carro.

   Ellos no vinieron porque no tuvieron el carro.

4. Él no sabe nada porque nadie le quiere hablar.

   Él no supo nada porque nadie le quiso hablar.

5. No puedes porque no quieres.

   No pudiste porque no quisiste.

6. No estamos porque tenemos que hacer otra cosa.

   No estuvimos porque tuvimos que hacer otra cosa.

F **¿Qué dices?** Complete each sentence with the correct form of the present tense of the verb **decir.**

1. Yo _____ **digo** _____ que vamos a ir a Sevilla.

2. Y él _____ **dice** _____ que vamos a tomar el AVE—el tren rápido.

3. Todos ellos nos _____ **dicen** _____ que Sevilla es una maravilla.

4. Nosotros les _____ **decimos** _____ que nos va a ser un placer tener la oportunidad de visitar a Sevilla.

5. Teresa _____ **dice** _____ que quiere estudiar en Sevilla.

6. Yo le _____ **digo** _____ que hay muchas escuelas buenas en Sevilla para aprender el español.

Un poco más

A **Un horario** Look at the following schedule for trains between Madrid and Málaga.

B **Información** Answer the questions according to the train schedule in Activity A.

1. ¿De qué estación en Madrid salen los trenes? __**Puerta de Atocha**__

2. ¿A qué hora sale el primer tren de la mañana para Málaga? __**a las 10:05**__

3. ¿Y a qué hora sale el primer tren de Málaga para Madrid? __**a las 6:45**__

4. ¿A qué hora llega el primer tren a Málaga? __**a las 14:30 (o a las 00:35)**__

5. ¿Cuántas paradas hace el tren número 9136 entre Madrid y Málaga? __**6**__

6. Hay un tren que no hace ninguna parada entre Málaga y Madrid. ¿A qué hora sale de

   Málaga el tren? __**a las 21:05**__

C   **El billete** Look at the train ticket.

71	N.º **D** 239863	Indicaciones especiales	**BILLETE + RESERVA**	EL	0094 U5PA2010

LARGO RECORRIDO
RENFE
C.I.F. G-2601749

00000000   2660

Sello de emisión

201012226593   40117

PROHIBIDO FUMAR FUERA DE LA ZONA RESERVADA
CONSÉRVESE HASTA EL FINAL DEL VIAJE

20:41

DE ⟶ A	CLASE	FECHA	HORA SALIDA	TIPO DE TREN	COCHE	N.º PLAZA	DEPARTAMENTO	N.º TREN
CHAMARTIN A CORUNA	C	23.05	21.45	ESTRELL	0041	045A	DOBLE	00851
HORA DE LLEGADA-->:			08.45			CLIMATIZ.	FAMILIA	

Tarifa   010 TARIFA GENERAL -TG-   044
Forma de pago   METALICO

Pesetas   ***10700

Incluido S.O.V. e I.V.A.

D   **El tren** Answer the questions according to the information on the train ticket in Activity C.

1. ¿Es un billete para un tren de largo recorrido o para un tren de cercanías?

   para un tren de largo recorrido

2. ¿De qué estación en Madrid sale el tren?   **Chamartín**

3. ¿A qué hora sale de Madrid?   **a las 21:45**

4. ¿A qué hora llega a La Coruña?   **a las 8:45**

5. ¿Para qué día es el billete?   **para el 23 de mayo**

6. ¿Cuánto costó el billete?   **10700 pesetas**

E   **Preguntas** Answer according to the information on the ticket in Activity C.

1. Something on the ticket indicates that the train is air-conditioned. What is it?

   climatiz

2. The ticket indicates that the form of payment was   **cash**   .

   What does **metálico** refer to?   **cash**

F. **Transportes** Read the following information about transportation in Madrid.

TRANSPORTES

Trenes

Las dos grandes estaciones de tren en Madrid son: la estación de **Chamartín**, situada en la calle Agustín de Foxá, S/N, y la estación de **Atocha**, con el AVE (tren de alta velocidad), en la Glorieta del Emperador Carlos V, S/N. Existe un número centralizado de información y venta de billetes por teléfono: ☎ **328 90 20**

Autobuses urbanos

Numerosas líneas de autobuses recorren toda la ciudad. El precio del billete sencillo es 130 pesetas. Puede adquirir en quioscos o estancos un bono de diez viajes por 660 pesetas. Información de líneas: ☎ **400 99 00**

Autobuses

Los autobuses interurbanos se encuentran concentrados en la nueva Estación Sur, en Méndez Álvaro, S/N. ☎ **468 42 00**

Metro

La red de Metro de Madrid puede llevarle a casi cualquier punto de la ciudad. El precio del billete sencillo es de 130 pesetas; bono de diez viajes, 660 pesetas. Información en cualquier estación de Metro, donde puede conseguir gratuitamente un mapa de la red.

Aeropuerto

Puede llegar al aeropuerto internacional de **Madrid-Barajas** siguiendo la M-40 en dirección norte ☎ **305 83 43**. Existe un servicio de autobuses que salen de la Plaza de Colón, con parada en la Avenida de América, el precio de cuyo billete es de 370 pesetas. ☎ **305 83 43**

SERVICIOS

Información general

• Información telefónica nacional ☎ **003**

G. **¿Sí o no?** Indicate whether the following statements are true or false according to the information in Activity F. Write **sí** or **no.**

1. __no__ Hay tres grandes estaciones de ferrocarril en Madrid.

2. __sí__ El AVE sale de la estación de Atocha.

3. __sí__ En Madrid hay numerosas líneas de autobuses urbanos.

4. __no__ El metro va a muy pocas regiones de la ciudad.

5. __sí__ El precio del billete del autobús es el mismo que el precio del billete del metro.

6. __sí__ El aeropuerto internacional de Madrid se llama Barajas.

7. __sí__ El aeropuerto de Barajas está al norte de la ciudad de Madrid.

Mi autobiografía

Do you ever travel by train? If so, tell about one of your train trips. If you have never taken a train trip, imagine you are traveling by train through Spain. Write about your trip. Make up as much information as you can.

Mi autobiografía

CAPÍTULO 14
En el restaurante

Vocabulario   PALABRAS 1

A   **¿Qué es o quién es?** Identify each item or person.

1. _____**el restaurante**_____

2. _____**el mesero (el camarero)**_____

3. _____**el menú**_____

4. _____**la cuenta**_____

5. _____**la propina**_____

B **¿Qué es?** Identify each item.

1. _____la taza_____   2. _____el vaso_____   3. _____el plato_____

4. _____el cuchillo_____   5. _____el tenedor_____

6. _____la cuchara_____   7. _____la servilleta_____

C **Vamos a comer.** Answer the following questions.

1. ¿Qué quieres hacer cuando tienes hambre?

   Answers will vary.

2. Y cuando tienes sed, ¿qué quieres hacer?

   Answers will vary.

3. Cuando vas a un restaurante, ¿qué le pides al mesero?

   Cuando voy a un restaurante le pido el menú (la cuenta) al mesero.

4. ¿Quién trabaja en la cocina para preparar las comidas?

   El/La cocinero(a) trabaja en la cocina para preparar las comidas.

5. ¿Quién sirve la comida?

   El/La mesero(a) (El/La camarero[a]) sirve la comida.

Vocabulario   ██ PALABRAS 2 ██

D. **Comestibles** Answer the following questions.

1. ¿Cuáles son cuatro carnes?

_____Cuatro carnes son el biftec, el cordero, el cerdo y la ternera._____

_____

2. ¿Cuáles son tres mariscos?

_____Tres mariscos son las almejas, la langosta y los camarones._____

_____

3. ¿Cuáles son seis vegetales?

_____Seis vegetales son las zanahorias, los guisantes, el maíz, la berenjena, la_____

_____alcachofa y las judías verdes (las papas, la lechuga, los frijoles, las habichuelas)._____

E. **Una reservación** Complete the following conversation.

—¡Diga!

—Quisiera _____reservar_____ una mesa, por favor.
　　　　　　　　　　1

—Sí, señor. ¿Para _____cuándo_____?
　　　　　　　　　　　2

—Para mañana a las veinte treinta.

—¿Y para _____cuántas_____ personas?
　　　　　　　　　3

—Para seis.

—¿A _____nombre_____ de quién, por _____favor_____?
　　　　　4　　　　　　　　　　　　　　5

—A _____nombre_____ de González.
　　　　6

—Conforme, señor. Una mesa para seis _____personas_____ para
　　　　　　　　　　　　　　　　　　　　7

_____mañana_____ a las veinte treinta a _____nombre_____ de González.
　　8　　　　　　　　　　　　　　　　　9

F **La carne** Answer the following questions.

1. ¿Comes hamburguesas? ¿Qué te gusta comer con la hamburguesa?

**Answers will vary.**

_____

_____

2. ¿Comes cerdo? ¿Qué te gusta comer con el cerdo?

_____

_____

_____

3. ¿Comes biftec? ¿Qué te gusta comer con el biftec?

_____

_____

_____

4. ¿Comes cordero? ¿Qué te gusta comer con el cordero?

_____

_____

_____

Estructura

Verbos con el cambio e → i en el presente

A **El presente** Rewrite the sentences, changing **nosotros** to **yo** in the present tense.

1. Nosotros pedimos un cóctel de camarones.

   Yo pido un cóctel de camarones.

2. Freímos el pescado.

   Frío el pescado.

3. Servimos la ensalada antes del plato principal.

   Sirvo la ensalada antes del plato principal.

4. Seguimos una dieta sana.

   Sigo una dieta sana.

B **En el restaurante** Complete each sentence with the correct present-tense form of the verb(s) in parentheses.

1. El mesero les _____ **sirve** _____ a los clientes lo que ellos le _____ **piden** _____.
   (servir, pedir)

2. Si el cliente _____ **pide** _____ papas fritas, el cocinero las _____ **fríe** _____.
   (pedir, freír)

3. A veces si hay un plato que me gusta mucho, yo lo _____ **pido** _____ otra vez. (pedir)

4. Si el mesero me _____ **sirve** _____ bien, yo le dejo una propina. (servir)

C **¿Qué le gusta?** Answer the questions according to the model.

   ¿Le gusta a Juanita el pollo?
   Sí, y siempre lo pide.

1. ¿Te gustan los huevos fritos?

   Sí, y siempre los pido.

2. ¿Les gusta a Uds. la ensalada con aceite y vinagre?

   Sí, y siempre la pedimos.

3. ¿Les gusta a Carlos y a Felipe el biftec?

   Sí, y siempre lo piden.

Verbos con el cambio e → i, o → u en el pretérito

D. **En el restaurante** Answer each question according to the cue.

1. ¿Qué pediste? (arroz con pollo)

   Pedí arroz con pollo.

2. ¿Te gustó el plato? (sí, mucho)

   Sí, me gustó mucho el plato.

3. ¿Repetiste el plato cuando fuiste al restaurante la segunda vez? (no)

   No, no repetí el plato cuando fui al restaurante la segunda vez.

4. ¿Qué pediste la segunda vez? (el cerdo asado)

   Pedí el cerdo asado la segunda vez.

5. ¿Qué plato preferiste? (no sé)

   No sé qué plato preferí.

6. ¿Te gustaron los dos platos? (sí)

   Sí, me gustaron los dos platos.

7. Después de comer mucho, ¿dormiste bien? (no, no muy bien)

   No, después de comer mucho, no dormí muy bien.

E. **Marcos** Complete the following paragraph according to the information in Activity D.

Marcos _____**pidió**_____ un arroz con pollo. Le _____**gustó**_____ mucho.
         1   2

Pero cuando volvió al restaurante no _____**repitió**_____ el mismo plato.
                                        3

_____**Pidió**_____ el cerdo asado. No sabe qué plato _____**prefirió**_____
    4   5

porque le _____**gustaron**_____ los dos platos. Pero después de comer tanto, él no
              6

_____**durmió**_____ muy bien.
    7

Un poco más

A. **Un restaurante** Read this ad for a restaurant on the outskirts of Madrid.

B. **Buscando informes** Answer the questions based on the information in the ad in Activity A. Write the answers in Spanish.

1. What's the name of the restaurant?

   Los Remos

2. What do they serve in this restaurant?

   pescados y mariscos

3. What's its former name?

   Parque Moroso

4. When is the restaurant open on Sundays?

   desde el mediodía

C. **El menú** Look at the menu for the Casa Botín, a restaurant considered to be the oldest in the world.

C A R T A
I.V.A. 7% INCLUIDO

ENTRADAS

Jugos de tomate, naranja	410
Pimientos asados con bacalao	980
Lomo ibérico de bellota	2.305
Jamón ibérico de bellota	2.525
Surtido ibérico de bellota	2.160
Melón con jamón	2.140
Queso (manchego)	895
Ensalada riojana	950
Ensalada de lechuga y tomate	490
ENSALADA BOTÍN (con pollo y jamón)	1.220
Ensalada de rape y langostinos	2.630
Ensalada de endivias con perdiz	2.120
Morcilla de Burgos	750
Croquetas de pollo y jamón	895
Manitas de cochinillo rebozadas	805
Salmón ahumado	2.030

SOPAS

Sopa al cuarto de hora (de pescados)	1.625
SOPA DE AJO CON HUEVO	595
Caldo de ave	490
Gazpacho	820

HUEVOS

Revuelto de la casa (morcilla y patatas)	850
Huevos revueltos con espárragos trigueros	1.015
Huevos revueltos con salmón ahumado	1.075
Tortilla de gambas	1.075

VERDURAS

Espárragos con mahonesa	1.365
Menestra de verduras salteadas con jamón ibérico	1.200
Alcachofas salteadas con jamón ibérico	905
Judías verdes con jamón ibérico	905
Setas a la segoviana	985
Patatas fritas	375
Patatas asadas	375

PESCADOS

Angulas .... (según mercado)	
ALMEJAS BOTIN	2.405
Langostinos con mahonesa	3.805
Gambas al ajillo	2.750
Gambas a la plancha	2.750
Cazuela de pescados	2.885
Rape en salsa	2.665
Merluza al horno o frita	3.150
Lenguado frito, al horno o a la plancha (pieza)	2.555
Calamares fritos	1.580
CHIPIRONES EN SU TINTA (arroz blanco)	1.675

ASADOS Y PARRILLAS

COCHINILLO ASADO	2.360
CORDERO ASADO	2.550
Pollo asado 1/2	970
Pollo en cacerola 1/2	1.285
Perdiz estofada (pieza)	2.510
Filete de ternera a la plancha	1.890
Escalope de ternera	1.920
Ternera asada con guisantes	1.920
Solomillo a la plancha	2.750
SOLOMILLO BOTIN (al champiñón)	2.750
"Entrecotte" de cebón a la plancha	2.580

POSTRES

Cuajada	660
Tarta helada	665
Tarta de la casa (crema y bizcocho)	675
Tarta de chocolate	730
Tarta de frambuesa	825
Pastel ruso (crema de praliné)	800
Flan de la casa	425
Flan de la casa con nata	690
Helado de chocolate o caramelo	520
Helado de vainilla con salsa de chocolate	530
Surtido de buñuelos	875
Hojaldre de crema	740
Piña natural al dry-sack	620
Fresón con nata	780
Sorbete de limón	595
Melón	655
Bartolillos (sábados y domingos)	730

MENU DE LA CASA
(Primavera - Verano)
Precio: 4.165 ptas.

Gazpacho
Cochinillo asado
Helado
Pan, vino, cerveza o agua mineral

CAFE 220 - PAN 105 - MANTEQUILLA 130

HORAS DE SERVICIO: ALMUERZO, de 1:00 A 4:00 - CENA, de 8:00 A 12:00

ABIERTO TODOS LOS DIAS **HAY HOJAS DE RECLAMACION**

D **¿Cómo se dice... ?** Find the Spanish equivalent of each of the following dishes.

1. chicken and ham croquettes __croquetas de pollo y jamón_____

2. melon with ham __melón con jamón_____

3. smoked salmon __salmón ahumado_____

4. garlic soup with egg __sopa de ajo con huevo_____

5. asparagus with mayonnaise __espárragos con mahonesa_____

6. seafood casserole __cazuela de pescados_____

7. clams Botín __almejas Botín_____

8. sauteed artichokes with Iberian ham __alcachofas salteadas con jamón ibérico____

9. 1/2 roasted chicken __pollo asado 1/2_____

10. grilled veal filet __filete de ternera a la plancha_____

E **En el restaurante** Answer the questions according to the information on the menu in Activity C.

1. ¿Es necesario pagar el pan y la mantequilla? __sí_____

2. ¿ Cuánto es el pan? __105_____ ¿Y la mantequilla? __130_____

3. ¿Qué comidas sirven en el restaurante? __el almuerzo y la cena_____

4. ¿A qué hora sirven el almuerzo? __de la una a las cuatro_____

5. ¿A qué hora sirven la cena? __de las ocho a la medianoche_____

6. ¿Cuándo está abierto el restaurante? __todos los días_____

Mi autobiografía

Tell whether or not you like to eat in a restaurant. If you do, tell which restaurant(s) you go to. Give a description of a typical dinner out. You know quite a few words for foods in Spanish. Write about those foods you like and those foods you do not like.

Mi autobiografía

SELF-TEST 4

A. Identify each item.

1. _____**el peine**_____

2. ___**el tubo de pasta**___
      dentífrica

3. ___**el saco de dormir**___

4. _____**el espejo**_____

5. _____**la navaja**_____

6. _____**el maquillaje**_____

B. Complete each sentence with the appropriate word(s).

1. Ella _____**se cepilla (se lava)**_____ los dientes con el cepillo de dientes.

2. Él _____**se afeita**_____ con una navaja.

3. Ella _____**se pone**_____ la ropa en el cuarto de dormir.

4. Ellos toman el _____**desayuno**_____ en la cocina.

5. Ella _____**se acuesta**_____ a las once de la noche.

WORKBOOK
Copyright © Glencoe/McGraw-Hill

¡**Buen viaje! Level 1   Self-Test 4**   〰 **181**

Choose an expression from the list below to complete each sentence.

la sala de espera el quiosco
la ventanilla andén
un billete sencillo el tablero de llegadas y salidas
un billete de ida y vuelta el mozo

1. Los pasajeros sacan (compran) sus billetes en _____**la ventanilla**_____.

2. Voy a comprar _____**un billete de ida y vuelta**_____ porque voy a volver aquí.

3. _____**El mozo**_____ ayuda a los pasajeros con sus maletas.

4. Compran periódicos y revistas en _____**el quiosco**_____.

5. El tren para Córdoba va a salir del _____**andén**_____ tres.

D Identify each item.

1. _____**el cuchillo**_____ 2. _____**el mantel**_____ 3. _____**el aceite**_____

4. _____**el tenedor**_____ 5. _____**la servilleta**_____

6. _____ **el maíz** _____

7. _____ **la cuenta** _____

8. **el mesero (el camarero)**

9. _____ **la berenjena** _____

10. _____ **los mariscos** _____

E   Complete each sentence with the correct verb from the following list.

levantarse
cepillarse
mirarse

lavarse
peinarse
divertirse

despertarse
ascostarse

ponerse
desayunarse

1. El joven _____ **se levanta (se despierta)** _____ a las seis y media de la mañana.

2. Antes de tomar el desayuno yo _____ **me lavo** _____ las manos y la cara.

3. Después de comer, nosotros _____ **nos cepillamos (nos lavamos)** _____ los dientes.

4. Ellos _____ **se miran** _____ en el espejo cuando _____ **se peinan** _____.

5. ¿Por qué no _____ **te pones** _____ (tú) la chaqueta? Está haciendo un poco frío.

6. ¿A qué hora _____ **se acuestan** _____ Uds. por la noche?

7. Yo _____ **me divierto** _____ mucho cuando estoy con ellos. Son muy graciosos.

WORKBOOK
Copyright © Glencoe/McGraw-Hill

¡Buen viaje! Level 1 Self-Test 4 ∽ **183**

Rewrite each sentence in the preterite.

1. Nosotros hacemos un viaje.

Nosotros hicimos un viaje. _____

2. Yo hago el viaje en tren y ellos lo hacen en avión.

Yo hice el viaje en tren y ellos lo hicieron en avión. _____

3. No podemos ir juntos.

No pudimos ir juntos. _____

4. Ellos no quieren salir el sábado.

Ellos no quisieron salir el sábado. _____

5. Por eso, ellos tienen que tomar el avión.

Por eso, ellos tuvieron que tomar el avión. _____

G Complete with the correct present-tense form of the verb **decir**.

Yo _____**digo**_____ qui sí y ellos _____**dicen**_____ que sí. Todos (nosotros)
         1   2

_____**decimos**_____ que sí. Así, estamos de acuerdo.
         3

H Complete each sentence with the correct form of the verb(s) in parentheses.

1. Cuando yo voy a un restaurante, siempre _____**pido**_____ un biftec. (pedir)

2. Yo lo _____**pido**_____ a término medio. ¿Cómo lo _____**pides**_____ (tú)?
(pedir, pedir)

3. Los meseros _____**sirven**_____ a los clientes en el restaurante. (servir)

4. Cuando nosotros _____**pedimos**_____ papas fritas, el cocinero las _____**fríe**_____.
(pedir, freír)

I Complete the following paragraph with the correct preterite-tense forms of the verb **pedir**.

Yo _____**pedí**_____ un biftec y él _____**pidió**_____ pollo. Los dos (nosotros)
         1   2

_____**pedimos**_____ papas fritas. ¿Qué _____**pediste**_____ tú? Y ¿qué
         3   4

_____**pidió**_____ tu amigo(a)?
         5

ANSWERS TO SELF-TESTS

SELF-TEST 1

If you made any mistakes on the test, review the corresponding page(s) in your textbook indicated in parentheses under the answers to that section of the test.

A

1. la escuela
2. el cuaderno (el bloc)
3. la carpeta
4. la camiseta (el T-shirt)
5. la blusa
6. el par de tenis (los tenis)
7. el bus escolar
8. la mochila

(For question 1, review Chapter 1, **Palabras 1,** pages 14–15. For questions 2–3, and 8, review Chapter 3, **Palabras 1,** pages 72–73. For questions 4–6, review Chapter 3, **Palabras 2,** pages 76–77. For question 7, review Chapter 4, **Palabras 1,** pages 98–99)

B

1. Tomo _____ cursos.
2. Sí, estudio el español.
3. Los cursos de _____, _____ y _____ son fáciles y los cursos de _____ y _____ son difíciles.
4. El/La profesor(a) de español es simpático(a), inteligente, interesante, (aburrido[a]), etc.
5. Los alumnos compran lápices, cuadernos, carpetas, papel, bolígrafos, marcadores, etc. en la papelería.
6. Llevamos los materiales escolares a la escuela en una mochila.
7. Sí (No, no) llevo una camiseta y un par de tenis a la escuela.
8. Los alumnos prestan atención cuando el profesor habla en clase.

(For question 1, review Chapter 2, **Sustantivos, artículos y adjetivos en el plural,** page 50. For question 2, review Chapter 3, **Presente de los verbos en –ar en el singular,** page 80. For question 3, review Chapter 2, **Palabras 2,** pages 46–47.

For question 4, review Chapter 1, **Adjetivos en el singular,** page 23. For questions 5–6, review Chapter 3, **Palabras 1,** pages 72–73. For question 7, review Chapter 3, **Palabras 2,** pages 76–77. For question 8, review Chapter 4, **Palabras 2,** pages 102–103.)

C

1. soy
2. somos
3. estudiamos
4. estudian
5. tomo, tomas
6. son, son
7. estás
8. estoy, voy
9. da, vamos

(For question 1, review Chapter 1, **Presente del verbo ser en el singular,** page 25. For questions 2 and 6, review Chapter 2, **Presente del verbo ser en el plural,** page 52. For questions 3–4, review Chapter 4, **Presente de los verbos en –ar en el plural,** page 106. For question 5, review Chapter 3, **Presente de los verbos en –ar en el singular,** page 80. For questions 7–9, review Chapter 4, **Presente de los verbos ir, dar, estar,** page 110.)

D

1. La clase es aburrida y difícil.
2. Las lenguas son fáciles.
3. La muchacha es guapa y simpática.
4. Los muchachos son guapos y populares.

(For questions 1 and 3, review Chapter 1, **Adjetivos en el singular,** page 23. For questions 2 and 4, review Chapter 2, **Sustantivos, artículos y adjetivos en el plural,** page 50.

E

1. un
2. al, al
3. a la, del
4. de la

(Review Chapter 4, **Las contracciones al y del,** page 112.)

F

1. Miraflores
2. Caracas
3. 21
4. a fines de septiembre

(For question 1, review Chapter 4, **Lecturas culturales,** page 116. For question 2, review Chapter 1, **Lectura opcional 2,** page 33. For question 3, review Chapter 1, **Conexiones,** page 35. For question 4, review Chapter 3, **Lecturas culturales,** page 86.)

WORKBOOK
Copyright © Glencoe/McGraw-Hill

¡Buen viaje! Level 1 Answers to Self-Tests 185

the
est, review the
extbook indicated
swers to that section

1. ado
2. zanahorias
3. la carne
4. el mesero (el camarero)
5. el menú
6. la fiesta
7. el jardín
8. el equipo de fútbol
9. el cesto (la canasta)

(For questions 1–3, review Chapter 5, **Palabras 2,** pages 138–139. For questions 4-5, review Chapter 5, **Palabras 1,** pages 134–135. For question 6, review Chapter 6, **Palabras 1,** pages 160–161. For question 7, review Chapter 6, **Palabras 2,** pages 164–165. For question 8, review Chapter 7, **Palabras 1,** pages 190–191. For question 9, review Chapter 7, **Palabras 2,** pages 194–195.)

B

1. la cocina, el comedor y la sala (el dormitorio, el cuarto, la recámara, el cuarto de baño)
2. casa
3. calle
4. come, bebe
5. periódico (libro), bolígrafo (lápiz)
6. jardín
7. carro (coche)
8. deportes
9. campo
10. portero, equipo, tanto

(For questions 1–3 and 5–7, review Chapter 6, **Palabras 2,** pages 164–165. For question 4, review Chapter 5, **Presente de los verbos en –er e –ir,** page 142. For questions 8–10, review Chapter 7, **Palabras 1,** pages 190–191.)

C

1. veo
2. comemos
3. vivimos
4. recibo
5. leen
6. tengo
7. tenemos
8. tiene
9. prefiero
10. puede
11. duermen
12. queremos

(For questions 1–5, review Chapter 5, **Presente de los verbos en –er e –ir,** page 142. For questions 6–8, review Chapter 6, **Presente de**

D

1. empezamos ahora.
2. quieren lanzar la pelota.
3. pueden?
4. juega bien.
5. volvemos ahora.
6. preferimos comer ahora.
7. duerme ocho horas.

(For questions 1–2 and 6, review Chapter 7, **Verbos de cambio radical e → ie en el presente,** page 198. For questions 3–5 and 7, review Chapter 7, **Verbos de cambio radical o → ue en el presente,** page 201.)

E

1. Mi
2. Su
3. Nuestra
4. Sus, mis
5. tu, tu

(Review Chapter 6, **Adjetivos posesivos,** page 173.)

F

1. tiene que
2. tengo que
3. vamos a; tenemos que (vamos a)
4. tienen que (van a); van a (tienen que); va a

(Review Chapter 6, **Tener que; Ir a,** page 171.)

G

1. sí
2. no
3. no
4. no
5. sí

(For question 1, review Chapter 5, **Lecturas culturales,** pages 148–149. For question 2, review Chapter 5, **Lectura opcional 2,** page 151. For question 3, review Chapter 6, **Lectura opcional 1,** page 180. For question 4, review Chapter 6, **Lecturas culturales,** page 178. For question 5, review Chapter 7, **Lecturas culturales,** page 208.)

SELF-TEST 3

If you made any mistakes on the test, review the corresponding page(s) in your textbook indicated in parentheses under the answers to that section of the test.

A
1. d   4. e
2. a   5. c
3. b

(Review Chapter 8, **Palabras 1,** pages 228–229.)

B
1. consulta (consultorio)
2. abre, examina
3. gripe
4. medicamentos
5. pastillas (píldoras)

(Review Chapter 8, **Palabras 2,** pages 232–233)

C
1. la crema protectora (la loción bronceadora)
2. los anteojos (las gafas) de sol
3. la plancha de vela
4. el telesquí (el telesilla)
5. la pista

(For questions 1–3, review Chapter 9, **Palabras 1,** pages 258–259. For questions 4–5, review Chapter 9, **Palabras 2,** pages 262–263.)

D
1. Hace calor. Hace buen tiempo. Hace (Hay) sol. El sol brilla en el cielo.
2. Hace frío. Hace mal tiempo. Nieva. Hay mucha nieve. La temperatura baja a cinco grados bajo cero.
3. La gente toma el sol, nada, bucea, esquía en el agua, y practica el surfing y la plancha de vela.
4. La gente esquía. Compra boletos (tickets) para el telesquí en la ventanilla, toma el telesquí para subir la montaña y baja las pistas para expertos y principiantes.

(For questions 1 and 3, review Chapter 9, **Palabras 1,** pages 262–263. For questions 2 and 4, review Chapter 9, **Palabras 2,** pages 258–259.)

E
1. a   4. b
2. c   5. a
3. b

(For questions 1–4, review Chapter 9, **Palabras 1,** pages 288–289. For questions review Chapter 10, **Palabras 2,** pages 292–293.)

F
1. areopuerto
2. facturar
3. vuelo, puerta
4. el control de seguridad
5. piloto (comandante), asistentes

(For questions 1–4, review Chapter 11, **Palabras 1,** pages 316–317. For question 5, review Chapter 11, **Palabras 2,** pages 320–321.)

G
1. está; Está   5. estoy
2. es; es   6. está
3. es, soy   7. es
4. está, estoy

(For questions 1–2 and 7, review Chapter 8, **Ser y estar,** page 236. For questions 3–6, review Chapter 8, **Ser y estar,** page 239.)

H
1. fueron   6. salieron
2. compré   7. fuimos
3. vimos   8. comió
4. Viste; fue 9. comí; Tomé
5. vio, habló 10. tomaste

(For questions 1, 4, and 7, review Chapter 9, **Ir y ser en el pretérito,** page 272. For questions 2, 5, 9–10, review Chapter 9, **Pretérito de los verbos en –ar,** page 266. For questions 3–6, and 8–9, review Chapter 10, **Pretérito de los verbos en –er e –ir, page 296.**)

I
1. te   6. le
2. me   7. le
3. la   8. la
4. la   9. le
5. me

(For questions 1–2 and 5, review Chapter 8, **Me, te, nos,** page 242. For questions 3–4 and 8, review Chapter 9, **Pronombres—lo, la, los, las,** page 270. For questions 6–7 and 9, review Chapter 10, **Complementos le, les,** page 299.)

J
1. Sí, (No, no) hago un viaje.
2. Sí, (No, no) voy a México.
3. Sí, (No, no) hago un viaje en avión.
4. Salgo a las *(answers will vary).*
5. Sí, (No, no) sé a qué hora voy a llegar a México.
6. Sí, (No, no) conozco a México.

WORKBOOK
Copyright © Glencoe/McGraw-Hill   ¡Buen viaje! Level 1 Answers to Self-Tests   187

3, review Chapter 11,
317. For question 4,
poner, traer, salir
or questions 5–6,
r y conocer en el

4. sé
5. sabe
6. conoce

(Review **saber y conocer en el presente,** page 328.)

1. Están esquiando en el agua.
2. Estoy tomando el sol.
3. ¿Están Uds. comiendo en la playa.
4. Están escribiendo tarjetas postales.

(Review Chapter 11, **El presente progresivo,** page 327.)

SELF-TEST 4

If you made any mistakes on the test, review the corresponding page(s) in your textbook indicated in parentheses under the answers to that section of the test.

A
1. el peine
2. el tubo de pasta dentífrica
3. el saco de dormir
4. el espejo
5. la navaja
6. el maquillaje

(For questions 1 and 4–6, review Chapter 12, **Palabras 1,** pages 352–353. For questions 2–3, review Chapter 12, **Palabras 2,** pages 356–357.)

B
1. se cepilla (se lava)   4. desayuno
2. se afeita   5. se acuesta
3. se pone

(Review Chapter 12, **Verbos reflexivos,** page 360.)

C
1. la ventanilla
2. un billete de ida y vuelta
3. El mozo
4. el quiosco
5. andén

(Review Chapter 13, **Palabras 1,** pages 380–381.)

D
1. el cuchillo
2. el mantel
3. el aceite
4. el tenedor
5. la servilleta
6. el maíz
7. la cuenta
8. el mesero (el camarero)
9. la berenjena
10. los mariscos

(For questions 1–2, 4–5, and 7–8, review Chapter 14, **Palabras 1,** pages 408–409. For questions 3, 6, and 9–10, review Chapter 14, **Palabras 2,** pages 412–413.)

E
1. se levanta (se despierta)
2. me lavo
3. nos cepillamos (nos lavamos)
4. se miran, se peinan
5. te pones
6. se acuestan
7. me divierto

(For questions 1–5, review Chapter 12, **Verbos reflexivos,** page 360. For questions 1 and 6–7, review Chapter 12, **Verbos reflexivos de cambio radical,** page 354.)

F
1. Nosotros hicimos un viaje.
2. Yo hice el viaje en tren y ellos lo hicieron en avión.
3. No pudimos ir juntos.
4. Ellos no quisieron salir el sábado.
5. Por eso, ellos tuvieron que tomar el avión.

(For questions 1–2 and 4, review Chapter 13, **Hacer, querer y venir en el pretérito,** page 388. For questions 3 and 5, review Chapter 13, **Verbos irregulares en el pretérito,** page 390.)

G
1. digo, dicen, decimos

(Review Chapter 13, **Decir en el presente,** page 392.)

H
1. pido   3. sirven
2. pido; pides   4. pedimos, fríe

(Review Chapter 14, **Verbos con el cambio e → i en el presente,** page 416.)

I
1. pedí   4. pediste
2. pidió   5. pidió
3. pedimos

(Review Chapter 14, **Verbos con el cambio e → i, o → u en el pretérito,** page 418.)